Gewidmet.....
meiner Familie
die Basis mich richtig zu leiten
all die Jahre
der Einfluss
der Funktionalität
und des Glückes
ist die entscheidende Rolle
für die Fortschritte,
die Produktivität und
die Qualität des Lebens.

Jedes Original hat die Unterschrift des Schriftstellers

Publisher: MYSTIS EDITIONS
Menelaou Parlama 108, Heraklion Crete- Greece
Tel.: +30 2810 346451 Fax:+30 2810 221908

Texte – Ausführung der Rezepte: Kostas Derekas
Übersetzung: Areti Giannakopoulou
Fotos und Styling: Kostas Frantseskakis
Layout: Giannis Galanis

ISBN :978-960-6655-63-0

Ort: Mina Dimaki 12
T.K. 71409 Heraklion
kostas_nterekas@yahoo.gr
Tel. +30 281 212550 / +306944905212

Das Buch das Sie in den Händen halten ist der Anfang einer Reihe origineller Koch und Backbücher die ich plane. Das erste beinhaltet 70 Kreationen mit Hauptbestandteilen die Teigwaren und das Olivenöl.

Es handelt sich um ein unabhängiges Thema, da es rund um dieses Thema viele Bücher, in vielen Ländern und Sprachen veröffentlicht werden, das Geheimnis liegt aber im Zweck des Buches. Ich möchte mit dem Leser den unvergleichlichen Geschmack und den gastronomischen Reichtum des Gerichtes teilen.

Ebenfalls möchte ich betonen das die Teigware nicht ein Privileg für die „dünnen" ist, sondern der Verzehr einmal wöchentlich empfohlen wird, da es für Jung und Alt Hauptbestandteil unserer Ernährung gilt.

Ausgangspunkt meiner Inspiration war die Erfahrung, die ich langjährig im italienischen Club erlangte und das Bedürfnis auch meinerseits ein Steinchen zur Kochkunst mit diesem Buch beizutragen.

Dieses Kochbuch könnte ein Handbuch für berufliche sowie für privaten Gebrauch sein, da die Rezepte verständlich, leicht und schnell zubereitet sind.

Die Rezepte sind in der ersten Person geschrieben. Es ist nicht der Autor der Ihnen etwas vorschreibt, sondern Sie können sich in die Person versetzen und die Kreationen ausführen.

Die Präsentation und die Fotografien wurden von meinen Freund dem Fotografen Kostas Franzeskakis gemacht. Wir haben gemeinsam versucht die Rezepte die von uns zubereitetet wurden naturgetreu zu präsentieren. Erwähnenswert ist das bei mir zu Hause eine kleine Feier entstanden ist, beim Kochen dieser Gerichte. Es kamen Familie und Freunde zusammen die Ihren Gaumen sehr intensiv testeten.

Kostas Derekas

INHALTVERZEICHNIS:

Einführung 3
Das Olivenöl 5
Geschichte der Teigwaren 6-7
Teigwaren – Ernährung 8
Kenntnisse – Geheimnisse 9
Muscheln mit Meeresfrüchten..........10
Muscheln mit Hering und Curry 11
Kritharáki (Reisnudeln) Giouwétsi mit Scampis 12
Bandnudeln mit Scampis und Zucchini 13
Bandnudeln mit Fisch 14
Bandnudeln mit grüner Velouté 15
Bandnudeln mit Orange 16
Bandnudeln Carbonara 17
Bandnudeln Pesto alla Genovese ..18
Bandnudeln mit Früchten 19
Bandnudeln mit Kakao 20
Penne alla Piemontese...................21
Penne mit Broccoli 22
Penne mit Sahne und Würstchen....23
Penne mit Paprika und Bacon 24
Penne alla Amarticiana...................25
Penne alla Putanesca.....................26
Penne alla Arrabiata 27
Penne tricolore mit Hähnchen 28
Penne mit Hackbällchen.................29
Penne mit Kaviar und Brick 30
Papardellen mit Feigen...................31
Papardellen mit Kaninchen und Bier 32
Ravioli mit Prosciutto 33
Ravioli mit Bacon und Cocktailtomaten 34
Ravioli mit Sahne und Schinken......35
Ravioli Ragout 36
Ravioli mit Salbei 37
Ravioli Montenez 38
Rigatoni mit Thunfisch 39
Rigatoni Italién 40
Rigatoni Omelett.............................41
Risotto alla Milanese.......................42
Risotto alla Monsese 43
Risotto alla Valencia 44
Risotto mit Auberginen 45
Risotto mit Fisch 46
Risotto mit Artischocken 47
Risotto mit Erdbeeren 48
Risotto mit Champagner.................49
Risotto mit Fenchel 50
Risotto mit Milch und Mandeln 51
Spaghetti alio olio 52
Spaghetti alio nocci 53
Spaghetti alio olio Piperocchini........54
Spaghetti alio olio Persemolo 55
Spaghetti mit Tomaten und Basilikum 56
Spaghetti mit Mozarella und Zucchini 57
Spaghetti mit Auberginen 58
Spaghetti Paliermitana 59
Spaghetti Sicilién 60
Fusilli mit Sardellen.........................61
Fusilli mit Artischocken 62
Fusilli mit Auberginen und Schinken...63
Fusilli alla Nabuko...........................64
Fusilli mit Aubergine 65
Tagliatellen Portugez 66
Tagliatellen del Mondo 67
Tagliatellen mit Lachs 68
Tagliatellen Katsadore 69
Tagliatellen Pizzaiola 70
Totellini Veneziana 71
Tortellini mit Champignon 72
Farfalle mit Oliven...........................73
Farfalle mit Hähnchen.....................74
Farfalle mit roten Paprika 75
Farfalle mit Broccoli 76
Farfalle mit Linsen 77
Farfalle mit dicken Bohnen 78
Farfalle mit Sauermilch...................79

DAS OLIVENÖL
ÖLE DES FRIEDENS

Das Kretische Olivenöl ist die Quelle guter Gesundheit und Langlebigkeit. Der Anbau der Olive war in der minoischen Zeit weitläufig gängig.

Die Ernährung der Kreter war das Geheimnis ihrer Langlebigkeit da sie täglich viel Olivenöl verzehrten. Das Olivenöl weist sich zu den 10 wichtigsten Ernährungsergänzungen des Menschen auf. Dies erwies sich durch eine Studie in 7 europäischen Ländern, indem in den Mittelmeer Ländern die Sterberate viel niedriger war durch den täglichen Verzehr von Olivenöl.

Das Geheimnis der Langlebigkeit befindet sich in den Bestandteilen die dazu beitragen die Zellen zu schützen vor verschiedenen Krankheiten wie Krebs, Herzinfarkten, u.v.a. Die Qualität des kretischen Olivenöl verdankt es, dem warmen Mittelmeerklima, der reichen in Mineralien kretischen Erde und der Pflege des Produzenten, der die alte, natürliche Methode das Olivenöl zu produzieren schätzt, mit der einfachen Vorgehensweise die Frucht zu pressen, ohne das sie an Bestandteilen verliert, nur so entsteht das extra native Olivenöl.

Licht: von 4000 vor Chr. bis vor einigen Jahren systematisch und heute sporadisch wird es zur Produktion von Licht gebraucht. Man benötigt ein Liter Olivenöl für eine Lampe und erhält 200 Stunden Licht, das heißt das sogar kleine Öllampen uns einige Stunden Licht bringen können.

Kosmetikum: Im Antiken Griechenland war es Hauptsubstanz der Kosmetik. Nur das beste Olivenöl wurde benutzt, heute werden viele Öle eingesetzt und bis hin zur Nutzung der Kerne der Olive.

Medizin: In der Antike wurde das Öl, die Blätter, die Blüte sogar der Saft und die Asche der Olivenbäume zu medizinischen Zwecken genutzt. Die Prophylaktischen Eigenschaften die das Olivenöl besitzt schätzten auch die Athleten im Antiken Griechenland als Salbe, was wir auch von den Ägypter wissen die das benutzten. Im Mittelalter sprach man von „Öl" bei allen Medikamenten bei denen man Olivenöl beimischte.

Schmiermittel: Im ganzen letzten Jahrhundert war es wichtiges Schmiermittel für die Funktion der Schiffe und den Betrieb von Maschinen.

Gewürz: Schon in der Antike stand das Olivenöl als Vertreter der wichtigste und meistgenutzte Gewürz im Mittelmeer Raum. Zum Verzehr galt die Olive Basis der Mittelmeer Diät wie auch die Produktion der Olive die goldige Flüssigkeit wie die Franzosen sie nennen. Kraftstoff, da das kostbare Holz sehr langsam abbrennt aber auch der Kern, das Unterprodukt, brennt für viele Stunden ohne Flamme und produziert Wärme.

Holz: Der Olivenbaum hat sehr hartes Holz, schwer zu verarbeiten aber leicht zu glätten, wird inzwischen immer häufiger zu Nutzgegenständen verwendet. Viele Gegenstände die in Mythen und Legenden in der Antike verwendet wurden waren aus Olivenbaumholz: die Keule des Herkules, das Bett von Odysseus und die Ikone der Athene in Parthenon.

GESCHICHTE DER TEIGWAREN

Teigware, eine beliebtes Wort für Jung und Alt. Ein Wort das sich mit der Ernährung Millionen von Menschen in der ganzen Welt vereinigt. Ein Wort das Synonym für Geschmack ist. Ein Wort das mit Mythen, Legenden und Geschichte verbunden ist. Die Teigware hat eine Jahrhundert alt Geschichte.

Der erste bekannte Verweis der Nudeln der uns vorliegt zeichnet sich 1000 vor Chr. im antiken Griechenland. Das Wort Laganon war ein gepresster Teig aus Mehl und Wasser welches die alten Griechen verzehrten. Im 8. Jahrhundert vor Chr. als die ersten Griechen nach Italien zogen brachten sie dieses mit sich, daß zu Laganum umbenannt wurde. Heute ist es bekannt als Lasagnia.

Das Getreide woraus die Teigwaren bestehen wurden 8000 vor Chr. benutzt, in den Jahren als die Menschen begannen dieses anzubauen. Geschichtlich bewiesen sich die Ägypter das Getreide zu verzehren, ebenfalls beliebt war es auch in China vor etwa 6000 Jahren.

Verschiedene Quellen von den Völkern woher die tatsächliche Abstammung der Teigwaren ist erhalten wir von den Chinesen, den Etruskern, den Römer und den Arabern. Marco Polo sagt man brachte aus China 1292 nach Chr. die Teigwaren züruck nach Italien. Diese Version bestreiten die Italiener, weil die Nudeln seit 1154 nach Chr. in Palermo Siziliens produziert werden. In den Dörfern rund um Palermo wurde eine stringförmige Nudelart hergestellt die per Schifffahrt in die christlichen und in die moslemischen Ländern exportiert wurden. So hebt sich auch der Mythos auf für die Entstehung dieser Form, der in Neapel lag. Der Ursprung ist in Palermo zu finden.

Dort wurde es hergestellt und getrocknet nach der typischen Art und Weise der Araber. Da die Nomaden gezwungen waren bei ihren reisen ihre Vorräte getrocknet zu transportieren.

Eine andere Erkenntnis bekommen wir von Guglielmo di Malavalle im 12. Jahrhundert der ein Nudelgericht bei einem Besuch beschreibt. (macarrones sen logana) In dieser Zeit haben wir viele Beweise das in Neapel und Genua Teigware verzehrt wurden. Die Napolitaner produzierten in kleinen Geschäften Teigware und nannten diese „La Pasteria". Sie trockneten die Stränge an der Straße und verkauften sie mit Gesang und Tanz, mit Mandolinen und Tarantellen.

Im 15. Jahrhundert wurde das erste Rezept für Lasagnia geschrieben bis dort hin waren die Teigwaren nicht Hauptbestandteil der Ernährung sondern wurden an besonderen Tagen und Festen gegessen.

Die Teigwaren wurden Hauptgericht der Italiener im 17. Jahrhundert als die Industrie die Produktion erleichterte und als man für Hartweizen mehr anbaute, so wurde es auch für die Ärmeren günstig. Zur Folge kam das es auch für die Gesundheit eine wichtige Rolle war.

1800 waren die zwei Hauptstädte der Nudeln (in Produktion sowie im Export) Neapel und Genua. Aber die Umstellung von frischen Teigwaren zu getrockneten und der geologische Stand des Hafens von Genua brachte den weltweiten Erfolg.

Im antiken Griechenland gab es einen religiösen Brauch bei dem man den Neugewordenen Müttern ein süßes Teigwarengericht vorbereitete damit sie den Neugeborenen, aber auch der Mutter Kraft und Energie bringen. Man kochte die Teigwaren in Milch mit Zucker und servierte als Suppe oder als Pudding.

In Griechenland hatten alle Haushalte verschiedene selbstgemachte Teigware im Keller. Einige waren wie der Trachanas getrocknet andere dagegen wurden sofort zubereitet. Es gab die Striftades, Tutumbakia und die Gontsides die in den Dörfern von Sparta hergestellt wurden. Die Teigwaren wurden sehr beliebt weil sie günstig herzustellen waren somit wurde der Verzehr von Reis weniger. Der Reis erschien an Sonn- und Feiertagen, gekocht in Fleischfond und serviert in kleinen Schälchen oder zur Füllung von Geflügel und Gemüse.

Der Fortschritt der Technologie in der Produktion erlaubte die größere Menge der Herstellung und die niedrigere Kosten. Dies war auch der Grund für den Vorzug der Teigware. Mit dem Verlauf der Jahre verlief die Produktion nicht mehr selbstgemacht sondern maschinell.

TEIGWAREN ERNÄHRUNG

Teigware in Griechenland und Europa

Die Teigware ist die meist verbreitete Ernährungsart in der ganzen Welt und besonders in Europa. An erster Stelle im Verbrauch ist Italien im Durchschnitt verzehrt ein Italiener 25 Kg im Jahr, Länder mit ebenfalls großen Verbrach ist Japan (im Durchschnitt 8.9 Kg pro Person) aber auch Griechenland gehört dazu mit 8 Kg pro Person im Jahr. Der Erfolg dieser Art besteht darin das die Teigware lange und einfach aufzubewahren sind, einfach vorzubereiten und schließlich günstig sind. Die Herstellung der Teigware in Griechenland in den letzten Jahren ist rapide gestiegen. Es gibt 15 Konzerne in Griechenland die nicht nur den eigenen Bedarf bedecken sondern auch exportieren. Der Import von Teigware beträgt nur 4 % des Bedarfes.

Teigware und Mittelmeer Ernährung

Die Ernährung im Mittelmeer spiegelt die Ernährungsgewohnheiten der Einwohner wieder. Es basiert auf einfache Gerichte mit der Vielfalt der Produkte die in diesen Ländern angebaut werden. Ebenfall ist es einfach wahlweise den Geschmack individuell anzupassen. Die griechische Note der Mittelmeer Küche bekommt sie von den Produkte die seit der Antike bis heute in Griechenland angebaut werden.

In den letzten 50 Jahren ist die Mittelmeer Ernährung sehr verbreitet als gesunder als die Westlich oder den zahlreichen Diäten.

In den 60er Jahren begann eine weltweite Forschung mit den Untersuchungen welche Ernährungsweise gesund ist und man forschte in 7 verschiedenen Ländern (Griechenland, Italien, Jugoslawien, Holland, Finnland, USA und Japan). Es dauerte 30 Jahre und es nahmen 13.000 Menschen im Alter von 40-59 Jahren teil.

Das Ergebnis dieser langjährigen Forschungen ergab das Menschen im Mittelmeer und besonders in Griechenland weniger betroffen waren an Krebs, Herzinfarkten und im Durchschnitt höhere Lebenserwartung haben als die Menschen in den anderen Forschungsländern. Die Wissenschaftler forschten um zum Geheimnis zu gelangen und kamen zum Entschluss das es die besondere und natürliche Lebensart dieser Menschen ist (auf dem Land arbeiten und natürliche tägliche Bewegung), sowie die einfache und leichte Ernährung, die bekannt als Mittelmeer Ernährung geworden ist, zu diesem Phänomen beiträgt.

Ebenfalls bewies eine Studie der Universität für Medizin in Athen in Zusammenarbeit mit der Universität Allgemeinmedizin Harvard das die Mittelmeer Ernährung tatsächlich die Lebenserwartung erhöht und vor Krebs und Herzbeschwerden schützt, welches auch publiziert wurde im Magazine „New England Journal of Medicine". Somit ist die Mittelmeer Küche besonders wichtig für den Menschen von heute um sich vor den Krankheiten unsere Zeit, wie Herzprobleme, Krebs und Diabetes, zu bewahren. Also sind auch die Teigwaren besonderer Bestandteil dieser Ernährung und sollte oft verzehrt werden da sie Weizen beinhalten.

Die Leistungen der Teigwaren

Die Teigwaren, wie auch der Reis und die Kartoffeln sind Produkte aus Stärke. Aber die Teigware besitzen mehr Proteine als der Reis und die Kartoffeln, sie besitzen Ballaststoffe, Kohlenhydrate und Vitamine ebenfalls haben sie gleichzeitig wenig Fettanteile und haben kein Salz und Zucker. Sie sind eine besondere Ernährungsergänzung für Sportler – insbesondere für Sportarten mit Ausdauer – die Energie kommt bei der Verdauungsphase mit langsamen und stabilen Rhythmus. Es handelt sich jedoch um eine Kategorie die von Diabetikern in Maßen verzehrt werden sollte. Ebenfalls erweist sich es in Diäten für Personen mit Gluten Allergie. Bei den Vollkornteigwaren zeigen sich hohe Nährstoffe die bei Problemen mit der Verdauung helfen. Parallel halten sie die Ebenen der Glucose im Gleichgewicht und halten den Diabetes im Normalfall im Gleichgewicht. Als Schlussfolgerung sehen wir das Teigware die Basis für die gesunde Ernährung sind.

Die Energie die sie uns geben, die geringe Fettanteile und Natrium, die hohen Ballaststoffe die sie uns bieten das alles führt zum Gleichgewicht der Ernährung.

Nährstoffe	Gekochte Teigware (100 g)	Gekochte Vollkorn-teigware (100g)	Gekochter Reis (100 g)	Gekochter brauner Reis (100 g)	Gekochte Kartoffeln (100 g)	Gegrillte Kartoffeln (100 g)
Energie (kcal)	104	113	123	141	80	85
Proteine	3,6	4,7	2,2	2,6	2,4	2,1
Fett (g) 0,7	0,7	0,9	0,3	1,1	0,1	0,1
Ballaststoffe (g)	1,8	4,0	0,8	1,5	1,0	2,0
Eisen (mg)	0,5	1,4	0,2	0,5	0,3	0,6

Varianten der Teigwaren
Anfang der 90er Jahre im Land der Spaghetti, in Italien gab es mehr als 400 Arten von Teigwaren. Heute gibt es 250 inbegriffen sind auch die klassische und bekannten. Die Industrie verringert es wegen kommerziellen Gründen. Es gibt fantastische Muster und Formen welche die ganze Welt überqueren. Diese die man in den Supermärkten findet sind folgende:
-Lange Teigware: Fetucchini, Spaghetti, Vermicelli, Papardellen, Bucatini, Linguini, Bavetten
-Teigware im Nest: Tagliatellen, Tagliatellini, Engelshaar und alles was in Form eines Balles ist
-Kurze Teigware: Penne, Rigatoni, Pipette, Sedani, Muscheln, Fusilli
-Kurze und platte Teigware: Lasagne, Farfalle, Pipe Rigate
-Kleine für Suppen: Reisnudeln, Sternchen, Farfalline
-Gefüllte Teigware: Tortellini, Ravioli
Bevor der Gefrierschrank kam musste man sich mit dem Keller begnügen. Daher war es der Aufbewahrungsort der Eier (in den griechischen Teigwaren benutzt man keine Eier) so hatten die Mütter und Omas immer eine Möglichkeit, etwas leichtes und sättigendes für die große Familie vorzubereiten das im Keller vorrätig war. Die meisten griechischen Teigwaren wurden Ende des Sommers getrocknet. Die traditionellen griechischen Gerichte mit Teigwaren sind von den schmackhaftesten die wir haben. Zum Beispiel in Limnos gibt es ein traditionelles Gericht mit den Namen pseftopétino (Falscher Hahn)und wird mit Auberginen und Flomária ein ortspezifische Teigwarenart zubereitet. Eine andere Art von Teigwaren sind die Chilópites (kurze frische Bandnudeln) die in den Ägäis gut zubereitet werden mit Tachini (Sesampaste).

Mit Bohnen und anderen Hülsenfrüchten
In einigen Orten Griechenlands werden die Teigwaren mit Bohnen zubereitet. Auf Rhodos und in Zypern bereiten sie die Chilópites mit Linsen zu, darauf kommt die Síwrasi (karamellisierteIm Zwiebeln). Im Peloponnes fand ich ein Gericht mit Schwarzaugenbohnen, Reisnudeln und Gemüse, etwas zwischen Essen und Suppe im Schmortopf. Ein sehr interessantes Gericht der Hebräer in Korfu waren kleine Maccharoni mit Bohnen oder Borlotti, die man auch in der hebräischen Gemeinde Tergesti essen kann. Mit dieser Gemeinde hatten auch die Hebräer kommerzielle Kontakte.

Mit Käse
Eines der üblichsten Variationen im Zusammenhang mit Teigwaren die in Griechenland gängig ist. z.B. die Chilópites die gekocht werden bis sie weich werden und mit Schafsbutter und Käse serviert werden. Viele Varianten gibt es im ganzen Land, eine weitere gibt es in Dodekanés, besonders in Kasso und in Kálimnos, wo die ortspezifischen Teigwaren die makaroúnes vorbereitet werden, wie oben beschrieben und dann mit saurem Weichkäse verfeinert werden oder im anderem Fall mit griechischem Joghurt.

Mit Fleisch
Die Teigwaren die mit Fleischfond zubereitet werden haben eine andere Note, die bestimmt viele an einem Sonntagstisch gekostet haben. Sogar bei einen solchen einfachen Zubereitung gibt es viele ortspezifische Varianten. In Korfu wo man die Maccharoni bevorzugt wird die „Pastitsada" in Fond von Hähnchen oder Hahn gekocht. Das in Tomatensoße vollendete Gericht ist sehr schmackhaft aber auch sehr kalorienreich. In Peloponnes werden die Nudeln mit Kalbsfleisch und Zitronen-Ei-Saußе serviert und ist das Markenzeichen vom Ort.

In Pita
In den traditionellen Rezepten werden die Teigwaren in Pita (Filloteig ist ein aufgerollter dünner Teig, der mit verschiedenes aufgefüllt wird und das ganze nennt man Pita)) eingearbeitet. Meine Lieblingsgericht ist das Venezianische Pastitsio das in Korfu und in Kithira zubereitet wird. Es handelt sich um ein Gericht das mit verschiedenen Fleischsorten, Fleischaufschnitt, Käse und Bechamelsoße in hausgemachten Teigblättern geschichtet wird. Ein Gericht das wir vom Peloponnes kennen ist die Makaronópita oder von Konstantinopel eine veränderte Form des Pastitsio in Fillo Teig. Ein anderes Gericht ist die Makarúna des Paschas von Kos. Es handelt sich um ein Art Pastitsio das hausgemachte Teigblätter beinhaltet sie erst in Milch und Fleischbrühe aufgeweicht werden und danach mit Schweinehackfleisch und Mizithra (weißer Käse) geschichtet werden. Das ist das Gericht das am letzten Sonntag vor Karneval gegessen wird.

Süßes mit Teigwaren
Es wäre anstrengend und sogar langweilig wenn ich alle Süßspeisen Griechenlands aufzählen würde die Teigwaren beinhalten. Ich möchte aber gerne mit diesem Bereich abschließend weil ich denke dass es eine mitreißende gastronomische Tradition ist, die leider allmählich vergessen wird. Diese Zubereitungen erinnerten an einem antiken Brei, bei dem man die Teigwaren mit Zucker und Milch oder Honig und Wasser aufkochte. So ein Gericht ist die Pigulópita aus Roumeli in Kreta, das ist eine flüssige Creme die mit schmalen Nudelchen (Engelshaar) gekocht wird. Dies wurde auf Kreta den Neugewordenen Müttern zubereitet damit sie mehr Muttermilch produzieren.
Zwei Süßspeisen jedoch sind sehr außergewöhnlich. Zum einen ist es eine Fasten Süßspeise die auf Rhodos klassisch ist. Das ist eine Art Teigwaren die mit Tachíni (Sesampaste) gekocht wird und dann mit Zimt serviert. Als Abschluss möchte ich die Mustokúlika aus Limnos erwähnen, das sind hausgemachte Teigwaren die wie dicke Knoten aussehen, diese werden in Sirup von Traubenmost gekocht. Ein reiches Essen da die Arbeiter vom Land damit gesättigt wurden.

KENNTNISSE GEHEIMNISSE

Wichtige Kenntnisse

Das Kochen der Teigwaren

Ich koche die Teigwaren in heißes gesalzenes Wasser, danach gebe ich sie in ein Sieb, lasse sie abtropfen und abkühlen in Zimmertemperatur. Anschließend gebe ich etwas Öl bei und rühre sie mit einer Küchengabel damit sie nicht kleben und schneller abkühlen. Zu beachten ist erst das Wasser kochen lassen und dann Salz zugeben.

Teigwaren und Inhaltsstoffe

100 g Teigwaren haben 356 Kalorien, davon 80% Kohlenhydrate, 13,4% Proteine und 3,9% Fett.

Teigwaren und Zutaten

Die Zutaten für gut gekochte Teigwaren ist für 100 g Teigwaren 10 g Salz und ein Liter Wasser bei 100 Grad Celsius.

Teigwaren und Geheimnis 1

Ein kleines Geheimnis ist bei langen Nudeln sie nicht zu brechen und alle gleichzeitig ins Wasser geben. Bei kleineren Nudeln ist es anders und zwar müssen sie langsam nach und nach ins Wasser gegeben werden.

Teigwaren und Geheimnis 2

Wenn sie Teigware kochen sollte der Deckel des Topfes um 2/3 zugedeckt sein weil so die Nudeln gleichmäßig kochen.

Teigwaren und Kochen

Die langen Nudeln kochen gleichmäßig, die gedrehten z. B. kochen sehr schnell von außen und von innen dauert es länger.

Al dente

Der richtige Zeitpunkt wobei die Nudeln am Zahn beim zubeißen hängen bleiben, dass heißt mit anderen Worten bissfest sind. Die Dauer des Kochens hängt von der Nudelart ab.

Teigwaren und Soße 1

Die kurzen kleineren Teigwaren passen zu Soßen - Ragout die etwas dichtere Konsistenz haben damit sie sich mit den Nudeln vereinen.

Teigwaren und Soße 2

Die Teigwaren haben die Eigenschaft zu kleben und deshalb sind die Soßen mit Öl vorteilhafter als diese mit Butter.

Teigwaren und Soße 3

Die gedrehten kleinere Nudeln haben andere Eigenschaften als die längeren, deshalb sollten die kleineren mit Gemüse Soßen serviert werden.

Teigwaren und Soße 4

Die Nudeln mit größerer Fläche sollten mit Soßen die stärkeren Geschmack haben serviert werden.

Nudeln und Feuchtigkeit

Damit sie sehen ob die Nudeln nicht in Feuchtigkeit geraten sind, brechen sie diese in die Mitte, wenn sie nicht verbeugen und gleich brechen dann kann man sie kochen. Sie müssen also knackig und nicht weich sein.

Nudeln und Geschmack

Um einen feinen Geschmack zu erzielen lassen sie die Nudeln nicht zu lange im Sieb sondern geben sie diese direkt auf die Teller oder in den Topf zurück und am besten sie geben die Soße gleich dazu, weil so das Salz vom Wasser in den Nudeln bleibt.

Reis und Kochen

Viele wichtige Inhaltsstoffe des dunklen oder weißen Reis verlieren sich im Wasser indem man sie kocht deshalb ist es wichtig das Wasser nicht weg zu gießen sondern es einziehen zu lassen.

Reis kochen 1

So leicht es auch immer scheint Reis zu kochen gibt es auch dort einige Geheimnisse. Es braucht oft einen Einblick um zu sehen ob der Reis feucht genug ist wenn nicht braucht er einige Minuten länger bis es die ganze Flüssigkeiten einzieht.

Reis kochen 2

Wenn der Langkornreis kocht dann klebt er nicht, sondern ist lüftig und fällt auseinander. Im Gegensatz dazu der mittlere und kleinere körnige Reis hat die Eigenschaft zu kleben wenn man ihn zugedeckt 15 – 20 Minuten (nicht auf der Herdplatte) stehen lässt dann legt sich dieses Problem.

Reis kochen 3

Viele kochen den Reis in einfachem Wasser. Ich rate ihnen den Reis in Wasser mit Geschmack zu kochen, sowie Gemüse- oder Hähnchenbrühe. Oder einfacher das Wasser mit Zitronensaft, etwas Essig und Gewürzen zu verfeinern.

Reis und Rühren

Der Reis sollte während des Kochens nicht gerührt werden. Das viele Rühren bricht die Körnung und lässt es pampig, klebrig weich werden.

Dunkler Reis

Diesen Reis sollte man in Behältern, wie Gläser, die dicht verschließen im Kühlschrank lagern. Dort kann man sie bis zu einem Jahr aufbewahren.

Älterer Reis

Wenn Sie nicht mehr wissen wie lange Sie den Reis im Schrank haben, können sie einen einfachen Test machen. Nehmen Sie etwas Reis in die Handfläche wenn ihre Hand danach mehlig ist dann sollten sie den Reis nicht mehr benutzen.

Muscheln mit Meeresfrüchten

Die Zubereitung

1.
In einem Topf brate ich die Zwiebeln in dem Olivenöl für eine Minute.

2.
Ich gebe die Meeresfrüchte bei und lasse sie etwa 10 Minuten kochen.

3.
Als nächstes gieße ich den Weißwein für etwa 2 Minuten um einen feinen Geschmack zu erlangen.

4.
Ich beende die Soße indem ich die Brühe mit dem Safran zufüge.

5.
Die gekochten Muscheln mische ich mit der Soße und dem Parmesan in einer Pfanne und anschließend serviere ich auf einen mit Petersilie garnierten Teller.

INGREDIENTS

1 Kilo Muscheln Trikolore
100 ml Olivenöl
80 g Zwiebeln, kleingehackt
300 g Meeresfrüchte
(Scampis, Muscheln, Tintenfische, Sepia)
100 ml Weisswein
1 g Krokos aus Kozani (Safran)
500 ml Meeresfrüchte Brühe
50 g Petersilie
150 g Parmesan, gerieben in Streifen

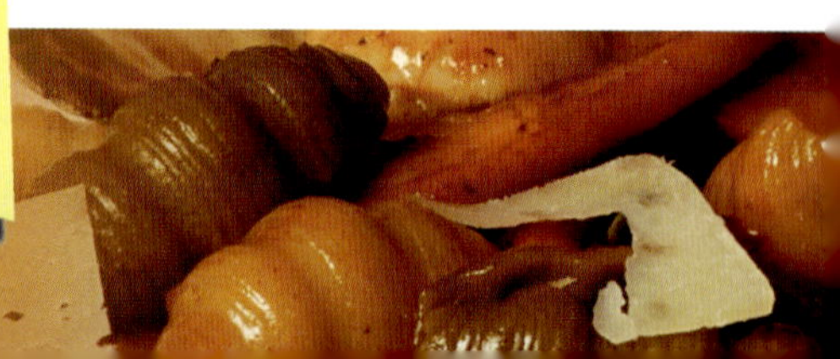

Muscheln mit Hering und Curry

Die Zubereitung

1.
In einem Topf mit Olivenöl brate ich die Zwiebeln an für eine Minute.

2.
Ich gebe den in Streifen geschnittenen Hering, die Zitronenfilets und den Curry bei und brate es 3 Minuten.

3.
Als nächstes lösche ich es mit dem Zitronensaft und lasse es eine weitere Minute kochen.

4.
Ich beende die Soße indem ich den Cardamon und den Joghurt zufüge, danach lasse ich es 2 Minuten aufkochen damit die Soße bindet.

5.
Die gekochten Nudeln mische ich mit der Soße. Ich serviere es auf einen garnierten Teller und begleite es mit dem geriebenen Käse.

Die Zutaten

1 Kilo Muscheln Trikolore
100 ml Olivenöl
150 g Zwiebeln, kleingehackt
300 g Hering geräuchert, in Streifen geschnitten
100 g Zitronenfilets
10 g Curry
50 ml Zitronensaft von frischer Zitrone
20 g Cardamon
600 g Joghurt
150 g Parmesan, gerieben

Kritharaki Giouwetsi
(Reisnudeln in Tontopf)
mit Scampis

Die Zubereitung

1.
In einen Topf mit Olivenöl brate ich die Zwiebeln und den Knoblauch für etwa 1 Minute an.

2.
Ich füge die Scampis zu und brate sie 3 Minuten, danach gebe ich auch die Tomaten bei für weitere 2 Minuten.

3.
Ich lösche das Ganze mit dem Weißwein und würze es mit Salz, Pfeffer, Oregano und lasse es aufkochen.

4.
Anschließend gebe ich die Reisnudeln bei und rühre es damit es nicht anbrät für 10 Minuten bei niedriger Hitze.

5.
Zum Schluss gebe ich es in ein Giouwetsi (Tontopf) mit dem Feta und der Petersilie darauf. Ich schiebe es in den Ofen für 5 Minuten bei 180 C.

Die Zutaten

500 g Kritharaki (Reisnudeln)
150 ml Olivenöl
150 g Zwiebeln, kleingehackt
10 g Knoblauch, kleingeschnitten
1 Kilo Scampis, ohne Schale
100 ml Weisswein
500 g frische Tomaten geschält und gerieben
30 g Petersilie
10 g Oregano
40 g Salz
20 g Pfeffer schwarz
200 g Feta (Schafskäse), in Würfel geschnitten

Bandnudeln mit Scampis und Zucchini

Die Zubereitung

1.
Zuerst nehme ich einen kleinen Topf, darin brate ich den Knoblauch und die Peperoni mit dem Olivenöl an.

2.
Anschließend füge ich die Zucchini bei und brate sie etwas an, ich lösche mit dem Weißwein und lasse alles 5 Minuten garen.

3.
Als nächstes gebe ich die frischen Tomaten bei und lasse die Soße 15 Minuten kochen.

4.
Ich beende die Soße indem ich die Scampis und die Petersilie zufüge und weitere 5 Minuten koche.

5.
In einer Pfanne brate ich leicht die Bandnudeln mit Olivenöl an, zum Abschluss hebe ich die Soße darunter und serviere es mit geriebenen Parmesan.

Die Zutaten

1 Kilo Bandnudeln
20 g Knoblauch kleingehackt
100 ml Olivenöl
5 g Peperoni
300 g Zucchini (schmale Scheiben)
50 ml Weißwein
500 g frische Tomaten in Würfel geschnitten
etwas Salz
300 g Scampis ohne Schale
20 g Petersilie kleingehackt
150 g Parmesan gerieben

Bandnudeln mit Fisch

Die Zubereitung

1.
Zu Anfang brate ich die Zwiebeln, den Knoblauch und die Petersilie mit Olivenöl an.

2.
Danach füge ich die kleingeschnittenen Filets bei und brate sie etwas an, ich lösche mit dem Weißwein und lasse die Fischfilets 5 Minuten garen.

3.
Als nächstes gebe ich die frischen Tomaten bei und lasse die Soße 15 Minuten kochen.

4.
Wenn die Soße fertig ist, nehme ich eine Pfanne und brate leicht die Bandnudeln mit Olivenöl an und gebe die Soße mit dem Käse dazu, zum Schluß serviere ich es auf einem dekorierten Teller.

Die Zutaten

1 Kilo Bandnudeln
100 ml Olivenöl
30 g Knoblauch kleingehackt
100 g Zwiebeln kleingehackt
20 g Petersilie kleingehackt
300 g Fisch Filets
100 ml Weißwein
500 g frische Tomaten in Würfel geschnitten
etwas Salz
70 g Graviera gerieben

Bandnudeln mit grüner Velouté

Die Zubereitung

1.

Ich brate die Zwiebeln und die Erbsen mit der Hälfte des Olivenöls an.

2.

In einem anderen Topf brate ich den Spinat mit der andern Hälfte des Olivenöls an und lösche mit dem Weißwein, lasse den Spinat 5 Minuten garen.

3.

Als nächstes gebe ich die Gemüsevelouté in den Topf mit dem Spinat und lasse es 2 Minuten ziehen.

4.

Zum Schluss gebe ich nun die grüne Velouté zu den Erbsen und lasse das ganze noch mal 3 Minuten kochen bevor ich das Salz und die Sahne zugebe.

5.

Ich mische die Bandnudeln mit der Soße, gebe die Petersilie dazu und serviere indem ich die Tomatenwürfel und den Parmesan als Dekoration verwende.

Die Zutaten

1 Kilo Bandnudeln
100 ml Olivenöl
100 g Zwiebeln kleingehackt
100 g Erbsen
500 g frischen Spinat
100 ml Weißwein
20 g geriebene Muskatnuss
500 ml Gemüsevelouté
50 g Sahne
20 g Petersilie kleingehackt
etwas Salz
100 g frische Tomaten in Würfel geschnitten
150 g Parmesan gerieben

Bandnudeln mit Orange

Die Zubereitung

1.
In einem Topf brate ich in der Butter, die heiß sein sollte, die Orangenschale für etwa 3 Minuten an und füge danach den Zucker bei, damit die Orangenschalen karamellisieren.

2.
Anschließend gebe ich den Cognac bei und flambiere es für 1 Minute.

3.
Ich gieße den Orangensaft in die Orangenschalen und lasse es glasig werden.

4.
Danach gebe ich die Gemüsevelouté bei und koche das ganze 5 Minuten.

5.
Die Soße verfeinere ich nun mit der Sahne und lasse sie eine weitere Minute kochen. Zum Schluss serviere ich die Bandnudeln mit der Soße und den Parmesan.

Die Zutaten

1 Kilo Bandnudeln
40 g Butter
100 g Orangenschale karamellisiert
30 g Zucker
80 ml Cognac
100 ml frisch gepressten Orangensaft
300 g Gemüsevelouté
150 ml Sahne
150 g Parmesan gehobelt

Bandnudeln ala Carbonara

Die Zubereitung

1.
In einer Schüssel rühre ich die Eigelb, die Sahne und den Parmesan so das eine Masse ensteht.

2.
In einer Pfanne brate ich den Bacon und den Knoblauch 3 Minuten.

3.
Als nächstes gebe ich die Bandnudeln in die Pfanne.

4.
Anschließend füge ich die kalte Eimasse zu den Bandnudeln und den BaconDie Soße verfeinere ich nun mit der Sahne und lasse sie schließlich für 1 Minuten kochen. Zum Schluß serviere ich die Bandnudeln mit der Soße und den Parmesan.

Die Zutaten

1 Kilo Bandnudeln
60 g Butter
10 g Knoblauch, kleingehackt
100 g Bacon, in Streifen geschnitten
12 Eigelb
100 ml Sahne
70 g Parmesan, gerieben

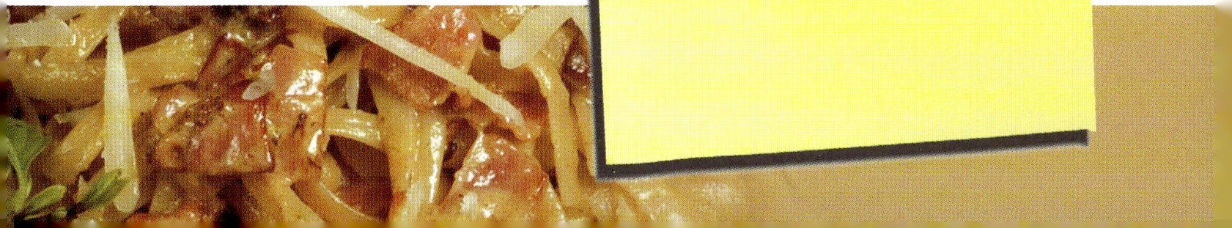

Bandnudeln ala Pesto Genovese

Die Zubereitung

1.
Zuerst wasche und trockne ich den Basilikum und den Spinat.

2.
Ich koche den Spinat und danach lasse ich das Wasser abtropfen.

3.
Als nächstes püriere ich alle Zutaten, den Spinat, den Basilikum, den Parmesan, die Pinienkerne und das Olivenöl.

4.
In einer Pfanne mit etwas Olivenöl brate ich die Zwiebeln und die Bandnudeln an, anschließend gebe ich die Soße und die Brühe darunter, während das ganz 2 Minuten köchelt.

5.
Zum Schluss serviere ich die Bandnudeln und dekoriere den Teller mit Basilikum.

Die Zutaten

1 Kilo Bandnudeln
100 ml Olivenöl
20 g Knoblauch, kleingehackt
30 g Zwiebeln, kleingehackt
500 g frischen Spinat
40 g frischen Basilikum
200 ml Gemüsebrühe
50 g Pinienkerne
70 g Parmesan, gerieben

Bandnudeln mit Früchten

Die Zubereitung

1.
Als erstes brate ich in der Butter die Früchte an, für etwa 2 Minuten.

2.
Ich flambiere mit dem Brady und lösche das ganze mit dem Fruchtsaft.

3.
Als nächstes füge ich die Sahne, Salz und Pfeffer dazu und lasse es weitere 2 Minuten kochen.

4.
In einer Pfanne mit Öl (Öl mit wenig Aroma) brate ich die Bandnudeln an und hebe langsam die Soße drunter.

5.
Zum Schluss serviere ich die Bandnudeln und dekoriere den Teller mit Minze.

Die Zutaten

1 Kilo Bandnudeln
60 g Butter
40 g Pfirsich, ohne Schale und in Würfel geschnitten
40 g Honigelone, ohne Schale und in Würfel geschnitten
40 g Trauben, in die Mitte schneiden
40 g Erdbeeren, in die Mitte schneiden
50 ml Weinbrand
100 ml Fruchtsaft
500 ml Sahneetwas Salz
etwas süßen Cayennepfeffer
ein paar Minzeblätter

Bandnudeln mit Kakao

Die Zubereitung

1.
Als erstes brate ich eine Minute in einer Pfanne mit Olivenöl die Zwiebeln und den Knoblauch an.

2.
Danach gebe ich den Thunfisch und den Mais dazu und brate es weitere 2 Minuten.

3.
Als nächstes füge ich den Weißwein und die Gemüsebrühe mit dem Kakao zu und lasse es 10 Minuten kochen.

4.
Zum Schluß gebe ich die Pinienkerne und den Sesam in die Soße.

5.
Ich mische die Bandnudeln mit der Soße und serviere indem ich abschließend mit den Mandeln den Teller garniere.

Die Zutaten

1 Kilo Bandnudeln
100 ml Olivenöl
80 g Zwiebeln
30 g Knoblauch
300 g Thunfisch, aus der Dose mit Öl
100 ml Weißwein
100 g Mais
60 g Pinienkerne
40 g Sesam
500 ml Gemüsebrühe mit Kakao
80 g Mandeln, gehobelt

Penne alla Piemontese

Die Zubereitung

1.
Zu Anfang brate ich 2 Minute in einer Pfanne mit Olivenöl die Zwiebeln, den Knoblauch und die Paprika an.

2.
Ich gebe den Wein dazu und lasse es noch eine Minute kochen.

3.
Als nächstes füge ich die Tomaten, den Basilikum und Salz und lasse alles 15 Minuten bei geringer Hitze kochen.

4.
Die Penne brate ich 1 Minute mit etwas Olivenöl an und gebe die Soße dazu so das alles eine Masse ergibt.

5.
Ich serviere die Pasta und verfeinere das Ganze mit dem Parmesan.

Die Zutaten

1 Kilo Penne tricolore
100 ml Olivenöl
200 g Zwiebeln, kleingehackt
20 g Knoblauch, kleingeackt
200 g rote Paprika, in Streifen geschnitten
100 ml Rotwein
500 g frische Tomaten, in Würfel geschnitten
etwas Salz
5 Blätter Basilikum
150 g Parmesan, gerieben

Penne mit Broccoli

Die Zutaten

1 Kilo Penne
100 ml Olivenöl
20 g Knoblauch, kleingehackt
10 g Chili scharf, kleingeschnitten
50 g Sardellen kleingeschnitten
400 g frische Tomaten, gerieben
20 g Petersilie, kleingehackt
400 g Broccoli
150 g Parmesan, gerieben

Die Zubereitung

1.
Zuerst brate ich 3 Minute in einer Pfanne mit Olivenöl den Knoblauch und die Chili an.

2.
Danach gebe ich die Sardellen dazu und brate es weitere 3 Minuten.

3.
Als nächstes füge ich die Tomaten und die Petersilie ein, lasse alles 10 Minuten kochen.

4.
Mein nächster Schritt ist den Broccoli dazuzugeben und weitere 10 Minutn kochen.

5.
Letzter Schritt ist die Nudeln und die Soße in einer Pfanne zu mischen und zu servieren.

Penne mit Sahne und Würstchen

Die Zubereitung

1.
Zuerst brate ich bei schwacher Hitze 5 Minute in Butter die Zwiebeln an.

2.
Danach gebe ich die Würstchen dazu und brate es weitere 5 Minuten.

3.
Ich beende das ganze indem ich die Sahne und die Milch dazugebe und es 5 Minuten koche.

4.
Mein letzter Schritt ist es nun die Nudeln, die Soße und den Parmesan in einer Pfanne zu vereinen.

5.
Serviere und garniere den Teller.

Die Zutaten

1 Kilo Penne bunte
100 g Butter
100 g Zwiebeln, kleingehackt
300 g Frankfurter Würstchen, kleingeschnitten
400 g frische Tomaten, gerieben
300 ml Sahne
100 ml Milch
40 g Salz
150 g Parmesan, gerieben

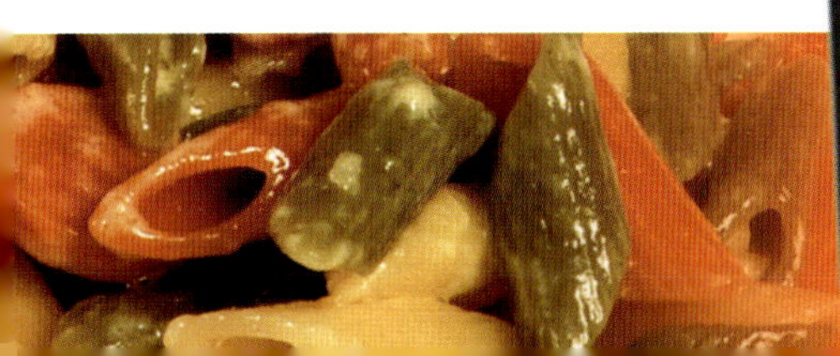

Penne mit Paprika und Bacon

Die Zubereitung

1.
In einer Pfanne mit Olivenöl und Butter brate ich 5 Minute die Zwiebeln und den Bacon an.

2.
Danach gebe ich die Paprika dazu und brate es weitere 5 Minuten.

3.
Als nächstes kommen die gewürfelten Tomaten in die Pfanne und gare das Ganze 20 Minuten.

4.
Nun gebe ich die Nudeln dazu und mische alles.

5.
Zum Schluss serviere ich und garniere das Gericht mit dem Käse.

Die Zutaten

1 Kilo Penne
100 ml Olivenöl
150 g Zwiebeln, kleingehackt
50 g Butter
200 g Bacon, kleingeschnitten
200 g bunte Paprika, in Streifen geschnitten
500 g frische Tomaten, in Würfel geschnitten
40 g Salz
150 g Graviera, gerieben

Penne alla Amatritsiana

Die Zubereitung

1.
In einer Topf mit Olivenöl brate ich 5 Minute die Zwiebeln und die Chili an.

2.
Ich füge den Bacon dazu und brate weitere 5 Minuten.

3.
Das Ganze lösche ich mit dem Wein und gebe anschließend die Tomaten bei die ich dann 15 Minuten koche.

4.
Alles wird zusammen gefügt und serviere indem ich einen garnierten Teller nehme und mit Parmesan verfeinere.

Die Zutaten

1 Kilo Penne
100 ml Olivenöl
200 g Zwiebeln, kleingehackt
10 g Chili scharf, kleingeschnitten
300 g Bacon, dick geschnitten
100 g Weißwein
500 g Tomaten, in Würfel geschnitten
40 g Salz
150 g Parmesan, gerieben

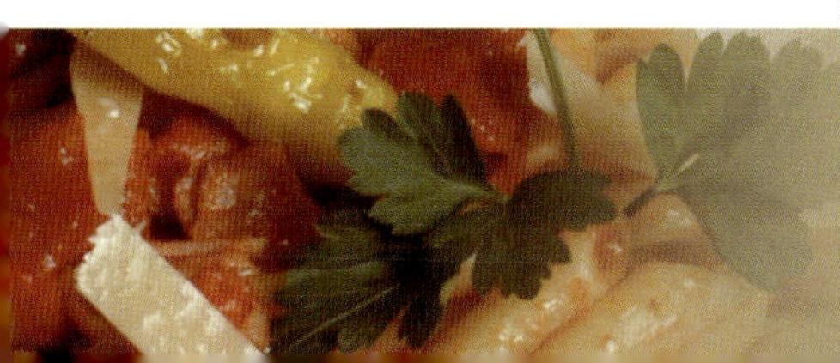

Penne alla Putanesca

Die Zubereitung

1.
In einer Topf mit Olivenöl brate ich 5 Minute den Knoblauch, die Sardellen und die Oliven an.

2.
Danach gebe ich die Tomaten und die Kapern dazu und koche alles 15 Minuten.

3.
Als nächstes gebe ich das Basilikum dazu und lasse es 2 Minuten kochen damit es sein Aroma hinterlässt.

4.
In einer Pfanne vereine ich die Pasta mit der Soße.

5.
Ich serviere auf einen garnierten Teller und verfeinere mit Parmesan.

Die Zutaten

1 Kilo Penne
100 ml Olivenöl
20 g Knoblauch, kleingehackt
100 g Sardellen, kleingeschnitten
100 g schwarze Oliven, ohne Kern in Scheiben
40 g Kapern
500 g frische Tomaten, in Würfel geschnitten
20 g Basilikum, kleingeschnitten
70 g Parmesan, gerieben

Penne alla Arrabiata

Die Zubereitung

1.
In einer Topf mit Olivenöl brate ich 3 Minute die Zwiebeln, den Knoblauch und die Chili an.

2.
Danach gebe ich die Tomaten und Salz dazu und koche es 15 Minuten.

3.
Ich mische in einer Pfanne die Nudeln mit der Soße.

4.
Zum Schluss serviere ich und garniere mein Gericht mit Parmesan und Peperoni die ich kurz vorher in der Pfanne anbrate.

Die Zutaten

1 Kilo Penne
100 ml Olivenöl
200 g Zwiebeln, kleingehackt
40 g Knoblauch, kleingehackt
50 g Chili scharf, kleingeschnitten
500 g frische Tomaten, in Würfel geschnitten
40 g Salz
30 g Petersilie, kleingehackt
150 g Parmesan, gerieben

Penne tricolore mit Hähnchen

Die Zubereitung

1.
In einer Topf mit Olivenöl brate ich 2 Minute die Zwiebeln an.

2.
Danach gebe ich das Hähnchen dazu welches ich vorab in Streifen geschnitten habe und brate alles 5 Minuten.

3.
Ich lösche mit Weißwein ab, gebe die Gemüsebrühe dazu und lasse es 10 Minuten kochen.

4.
In einer Pfanne vereine ich die Pasta mit der Soße.

5.
Ich serviere und verfeinere mit den gehobelten Mandeln, der Tomate in Würfel und den Parmesan.

Die Zutaten

1 Kilo Penne tricolore
100 ml Olivenöl
150 g Frühlingszwiebeln
300 g Hähnchen, ohne Knochen
100 ml Weißwein
500 ml Gemüsebrühe
100 g Mandeln, gehobelt
100 g frische Tomaten, in Würfel geschnitten
100 g Parmesan, gerieben

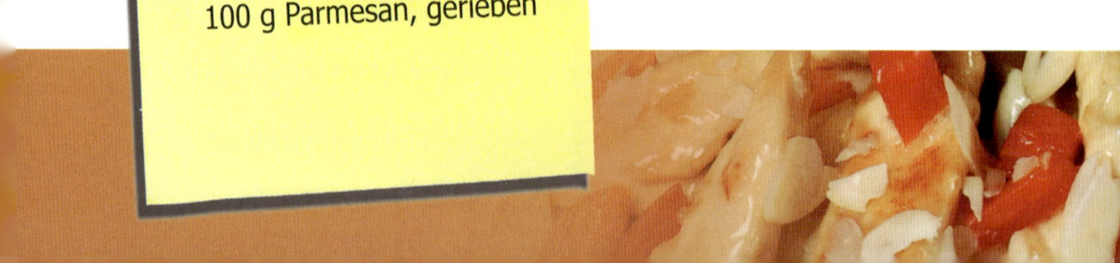

Penne mit Hackbällchen

Die Zubereitung

1.
In einer Topf mit Olivenöl brate ich 2 Minute die Zwiebeln und den Knoblauch an.

2.
Ich lösche mit dem Ouzo ab, gebe die Tomaten dazu und lasse es 10 Minuten kochen.

3.
Anschließend gebe ich die Hackbällchen bei und koche es weitere 5 Minuten.

4.
In einer Pfanne mische ich die Pasta mit der Soße.

5.
Ich serviere und verfeinere mit Petersilie und reibe die Graviera darüber.

Die Zutaten

1 Kilo Penne
100 ml Olivenöl
100 g Zwiebeln
30 g Knoblauch, kleingehackt
50ml Ouzo
600 g frische Tomaten, gerieben
300 g Hackbällchen (vom Rind oder Schwein) klein und gebraten
50 g Petersilie
150 g Graviera, gerieben

Penne mit Kaviar und Brick

Die Zubereitung

1.
In einer Topf mit Butter brate ich 2 Minute die Zwiebeln an.

2.
Ich lösche mit dem Champagner ab und die Zwiebeln darin 3 Minuten garen.

3.
Als nächstes füge ich die Sahne dazu und lasse die Soße 5 Minuten damit sie bindet.

4.
Mein letzter Schritt ist es den Kaviar, den Brick und die Penne dazu zu geben.

5.
Ich serviere und garniere mit Dill und den geriebenen Käse.

Die Zutaten

1 Kilo Penne
100 g Butter
100 g Zwiebeln
100 ml Champagner
500 ml Sahne
60 g Kaviar
60 g Brick
100 g Grana, gerieben

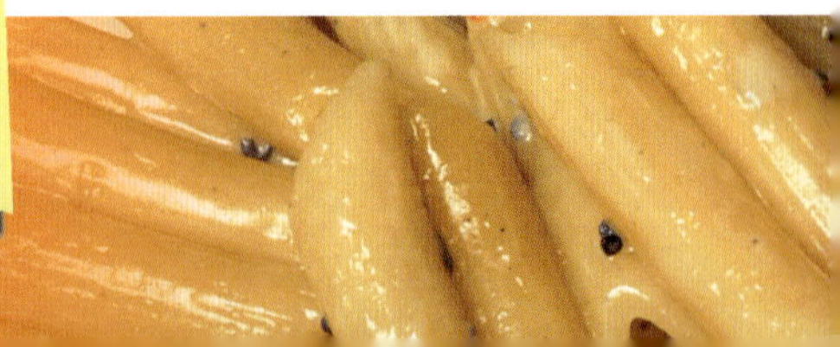

Papardellen mit Feigen

Die Zubereitung

1.
Zuerst schneide ich die getrockneten Feigen in Streifen und mische diese mit dem Cognac.

2.
In einem Topf mit der Butter brate ich 5 Minuten die Feigen an, welche ich von der Cognac Marinade abgetropft habe.

3.
Danach lösche ich die Soße mit der Marinade ab, gebe nun die Sahne dazu und lasse es 5 Minuten kochen.

4.
Ich vereine alles mit der Pasta in einer Pfanne.

5.
Nun serviere ich, garniere mit Mandeln und den geriebenen Käse.

Die Zutaten

1 Kilo Papardellen
100 g Butter
200 g getrocknete Feigen
100 ml Cognac
500 ml Sahne
100 g Mandeln, gehobelt
150 g Graviera, gerieben

Papardellen mit Kaninchen und Bier

Die Zubereitung

1.
Ich beginne indem ich das Kaninchen mariniere, mit den Zwiebeln (in Ringe geschnitten), die Karotten (in Scheiben geschnitten), den Sellerie (in Würfel geschnitten), den Thymian, den Lorbeer, Knoblauch und das Bier und lasse alles 3 Stunden ziehen.

2.
In einem Topf mit Olivenöl brate ich 3 Minuten das Kaninchen an, welches ich von der Marinade abgetropft habe.

3.
Ich füge die Marinade dazu und lasse es 15 Minuten kochen.

4.
Zum Schluss gebe ich Essig, Salz, Pfeffer und den Zucker dazu.

5.
Nun serviere ich die Papardellen und gieße darüber die Soße.

Die Zutaten

1 Kilo Papardellen
100 ml Olivenöl
100 g Zwiebeln
60 g Karotten
40 g Sellerie
15 g Knoblauch
300 g Kaninchen, in kleine Stücke geschnitten
1 l dunkles Bier
10 g Thymian
1 Lorbeerblatt
20 ml Essig
40 g Salz
20 g schwarzen Pfeffer
10 g Zucker

Ravioli mit Prosciutto

Die Zubereitung

1.
In einem Topf mit Butter brate ich 3 Minuten die Zwiebeln an.

2.
Ich gebe den Prosciutto in Würfel geschnitten dazu und brate es 5 Minuten. Danach lösche ich es mit dem Wodka ab und koche es weiter für 10 Minuten.

3.
Zum Schluss gebe ich die Sahne dazu welche ich 3 Minuten aufkoche.

4.
Nun mische ich in einer Pfanne die Ravioli mit der Soße.

5.
Ich serviere die Ravioli und reibe den Parmesan darüber.

Die Zutaten

1 Kilo Ravioli
100 g Butter
150 g Zwiebeln, kleingehackt
300 g Prosciutto
100 ml Wodka
500 ml Gemüsebrühe
100 ml Sahne
80 g Parmesan

Ravioli mit Bacon und Cocktailtomaten

Die Zubereitung

1.
In einem Topf brate ich 5 Minuten die Zwiebeln mit Butter an.

2.
Anschließend lösche ich mit dem Weißwein ab, lasse es 5 Minuten kochen und gebe die Cocktailtomaten dazu.

3.
Zum Abschluss kommt die Sahne dazu die ich 3 Minuten aufkoche.

4.
Nun mische ich in einer Pfanne die Ravioli mit der Soße.

5.
Und schließlich serviere ich die Ravioli auf einen dekorierten Teller und reibe den Parmesan darüber.

Die Zutaten

1 Kilo Ravioli mit Käsefüllung
100 g Butter
300 g Bacon, kleingeschnitten
100 g Cocktailtomaten, in die Mitte geteilt
100 ml Weißwein
500 ml Sahne
80 g Parmesan, gerieben

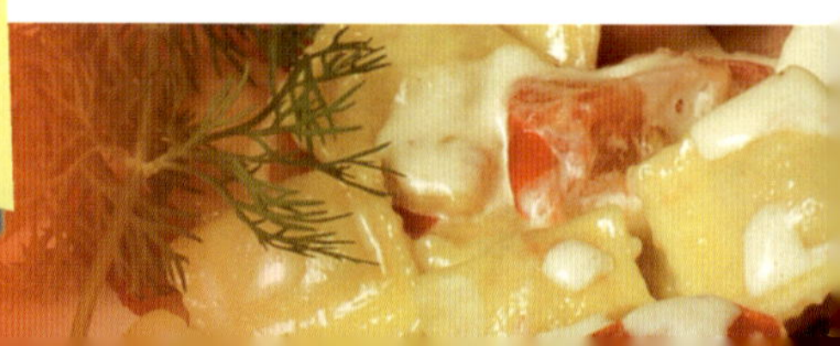

Ravioli mit Sahne und Schinken

Die Zubereitung

1.
In einem Topf brate ich 3 Minuten den Schinken mit der Kräuterbutter an.

2.
Danach lösche ich mit dem Weinbrand ab, salze und lasse es 2 Minuten kochen.

3.
Nun gebe ich die Sahne dazu und koche es weitere 3 Minuten.

4.
Danach gebe ich den Parmesan bei.

5.
Abschließend hebe ich alles untereinander, serviere und garniere mit den Karotten.

Die Zutaten

1 Kilo Ravioli mit Fleischfüllung
100 g Kräuterbutter
300 g Schinken, in Würfel geschnitten
100 ml Weinbrand
500 ml Sahne
40 g Salz
60 g Karotten, gerieben
120 g Parmesan, gerieben

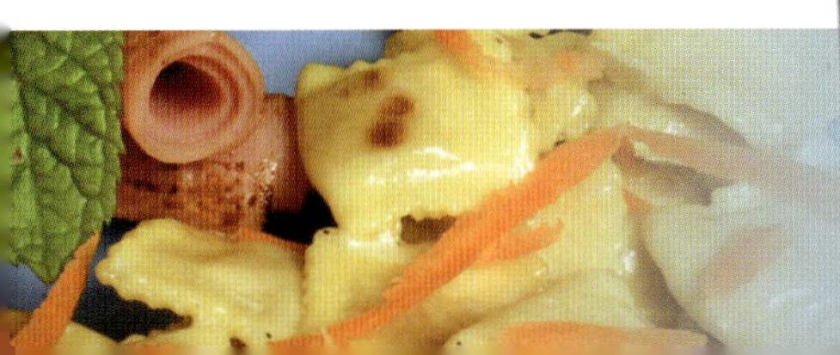

Ravioli Ragout

Die Zubereitung

1.
In einer Pfanne brate ich die gekochten Ravioli mit Olivenöl an.

2.
Lösche anschließend mit Weißwein und lasse es 2 Minuten kochen.

3.
Als nächstes gebe ich die Hackfleischsoße bei und koche es weitere 3 Minuten.

4.
Danach gebe ich den Parmesan bei.

5.
Nun serviere ich und garniere den Teller mit den Käsedreiecken.

Die Zutaten

1 Kilo Ravioli mit Käsefüllung
70 ml Olivenöl
400 g Hackfleischsoße
150 g Graviera, in Dreiecken geschnitten

Ravioli mit Salbei

Die Zubereitung

1.
In einer Pfanne mit der Butter brate ich 3 Minuten die gekochten Ravioli an.

2.
Als nächstes gebe ich den Salbei dazu, rühre und ...

3.
Serviere und verfeinere mit der geriebenen Graviera.

Die Zutaten

1 Kilo Ravioli mit Hähnchenfüllung
200 g Butter
40 g Salz
40 g Salbei
150 g Graviera, gerieben

Ravioli Montenez

Die Zubereitung

1.
In einer Pfanne mit Olivenöl brate ich 2 Minuten die Zwiebeln an.

2.
Direkt danach gebe ich die Karotten und den Sellerie dazu und brate weitere 2 Minuten.

3.
Die Hackfleischsoße kommt im Anschluss dazu und koche 3 Minuten.

4.
Ich mische die Ravioli mit der Soße, serviere und garniere mit den Erbsen.

5.
Verfeinere das ganze zum Schluss mit dem Parmesan.

Die Zutaten

1 Kilo Ravioli mit Käsefüllung
100 ml Olivenöl
100 g Zwiebeln, kleingehackt
100 g Sellerie, kleingeschnitten
150 g Karotten, in Würfel geschnitten
200 g Hackfleischsoße
60 g Erbsen
150 g Parmesan, gerieben

Rigatoni mit Thunfisch

Die Zubereitung

1.
In einem Topf mit Olivenöl brate ich 3 Minuten die Zwiebeln, den Knoblauch und die Paprika an.

2.
Anschließend gebe ich den Wein dazu und lasse es 2 Minuten garen.

3.
Nun füge ich die Tomaten dazu und koche alles 15 Minuten.

4.
Ich hebe die Rigatoni darunter und verfeinere mit der Petersilie.

5.
Zum Schluss serviere ich und gebe den geriebenen Parmesan darüber.

Die Zutaten

1 Kilo Rigatoni
100 ml Olivenöl
200 g Zwiebeln, kleingehackt
30 g Knoblauch, kleingeschnitten
60 g grüne Paprika, in Streifen geschnitten
300 g Thunfisch in Öl
150 ml Weißwein
500 g frische Tomaten, in Würfel geschnitten
60 g Petersilie
150 g Parmesan, gerieben

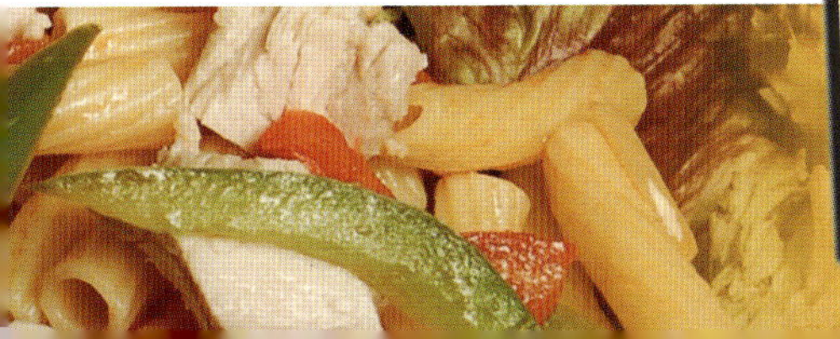

Rigatoni italién

Die Zubereitung

1.
In einem Topf mit Olivenöl brate ich 5 Minuten das ganze Gemüse bei starker Hitze an.

2.
Danach lösche ich mit dem Wein ab und koche es 3 Minuten.

3.
Nun füge ich die Gemüsebrühe bei und koche es weitere 10 Minuten.

4.
In einer Pfanne mische ich die Pasta mit der Soße.

5.
Ich serviere und verfeinere mein Gericht mit dem Parmesan.

Die Zutaten

1 Kilo Rigatoni
100 ml Olivenöl
100 g Zwiebeln, kleingehackt
100 g Auberginen, grob geraspelt
100 g Zucchini, grob geraspelt
100 g Champignon, in Scheiben
100 g Spargel, klein geschnitten
150 ml Weißwein
500 g Gemüsebrühe mit Krokos aus Kosani (Safran)
150 g Parmesan, gerieben

Rigatoni Omelett

Die Zubereitung

1.
In einem Topf mit Olivenöl brate ich 3 Minuten den Fenchel, die Champignon und den Spinat an.

2.
Ein Teil des gebratenen Gemüses gebe ich in eine Pfanne, Salz, Pfeffer und ein Teil der Rigatoni kommen dazu. Als nächstes gieße ich 3 geschlagene Eier darüber und den Parmesan.

3.
Ich serviere und verfeinere mein Gericht mit etwas Joghurt.

4.
Ebenfalls kann ich mein Omelett in einem tiefen Blech backen. In diesem Fall werde ich alle Zutaten mit der gleichen Vorgehensweise zubereiten und anschließend 20 Minuten bei 170 C backen.

Die Zutaten

1 Kilo Rigatoni
200 ml Olivenöl
50 g Champignon, in Scheiben
50 g Fenchel, in Würfel geschnitten
50 g frischen Spinat, große Stücke geschnitten
40 g Salz
30 g Pfeffer
20 Eier
150 g Parmesan, gerieben
150 g Joghurt

Risotto alla milanese

Die Zubereitung

1.
Zuerst trenne ich die Hälfte der Rinderbrühe und weiche die Safranfäden darin damit sie ihre Farbe und Aroma entfalten.

2.
In einem Topf brate ich mit der Hälfte der Butter die Zwiebeln etwa 3 Minuten an, daraufhin gebe ich den Reis dazu und brate 5 Minuten bis es glasig wird.

3.
Ich lösche das Ganze mit dem Wein, lasse es etwas verdampfen und gieße nach und nach die Brühe dazu bis sie ganz eingezogen ist. Ich rühre zügig damit der Reis nicht ansetzt.

4.
Zum Schluss gebe ich die übrige Brühe mit dem Safran dazu mit der gleichen Vorgehensweise. Sobald die Brühe eingezogen ist nehme ich den Topf vom Herd gebe die andere Hälfte der Butter bei und rühre einmal kräftig. An dieser Stelle würze ich mit Salz und Pfeffer nach Geschmack.

5.
Das Risotto serviere ich heiß mit Parmesan.

Die Zutaten

1 Kilo Reis Arborio oder Runden Reis
200 g Butter
200 g Zwiebeln, kleingehackt
150 ml Weißwein, trocken
2 ½ l Rinderbrühe
1 g Krokos aus Kosani (Safran)
150 g Parmesan, gerieben

Risotto alla monsese

Die Zubereitung

1.
Zuerst trenne ich die Hälfte der Rinderbrühe und koche sie mit den Safranfäden darin damit sie ihre Farbe und Aroma entfalten.

2.
In einem Topf brate ich mit der Hälfte der Butter die Zwiebeln etwa 3 Minuten an, daraufhin gebe ich die gehackten Würste bei und brate 5 Minuten.

3.
Nun kommt der Reis dazu und brate 5 Minuten bis der Reis glasig wird. Ich lösche das Ganze mit dem Wein, lasse es etwas verdampfen und gieße nach und nach die Brühe dazu bis sie ganz eingezogen ist. Ich rühre zügig damit der Reis nicht ansetzt.

4.
Zum Schluss gebe ich die übrige Brühe mit dem Safran dazu mit der gleichen Vorgehensweise. Sobald die Brühe eingezogen ist nehme ich den Topf vom Herd gebe die andere Hälfte der Butter bei und rühre einmal kräftig. An dieser Stelle würze ich mit Salz und Pfeffer nach Geschmack.

5.
Das Risotto serviere ich heiß mit geriebenen Parmesan, Paprika und etwas Kräuterbutter.

Die Zutaten

1 Kilo Reis Arborio oder Runden Reis
200 g Kräuterbutter
200 g Zwiebeln, kleingehackt
300 g Bauernwürste, gehackt
2 ½ l Rinderbrühe
1 g Krokos aus Kosani (Safran)
150 g Parmesan, gerieben

Risotto alla Valencia

Die Zubereitung

1.
In einem Topf mit Olivenöl röste ich 2 Minuten die Knoblauchzehen, danach nehme ich diese aus der Pfanne und brate darin das Hähnchen bis es rosig wird.

2.
Als nächstes gebe ich die Paprika, das Lorbeerblatt, den Safran, die Bohnen und die Erbsen bei und brate alles 1 Minute.

3.
Nun kommt 500 ml Rinderbrühe dazu und lasse es bei schwacher Hitze 30 Minuten kochen. Danach gebe ich die Jakobsmuscheln bei gieße 200 ml heisses Wasser und lasse es weitere 5 Minuten kochen.

4.
An dieser Stelle gebe ich die restliche Brühe in den Topf bei hoher Hitze und lasse es kochen. Danach gebe ich langsam den Reis dazu rühre und nun wieder bei schwacher Hitze lasse ich das ganze 17 Minuten.

5.
Das Risotto serviere ich heiß mit Parmesan und garniere mit den Scampis.

Die Zutaten

1 Kilo Reis Arborio oder Runden Reis
200 ml Olivenöl
2 Knoblauchzehen
150 g Erbsen
150 g grüne Brechbohnen
200 g Hähnchen, kleine Stücke geschnitten ohne Haut und Knochen
2 ½ l Rinderbrühe
1 g Krokos aus Kosani (Safran)
150 g Jakobsmuscheln, gekocht
150 g Scampis, groß
1 Esslöffel Paprika süß
1 Lorbeerblatt
150 g Parmesan, gerieben

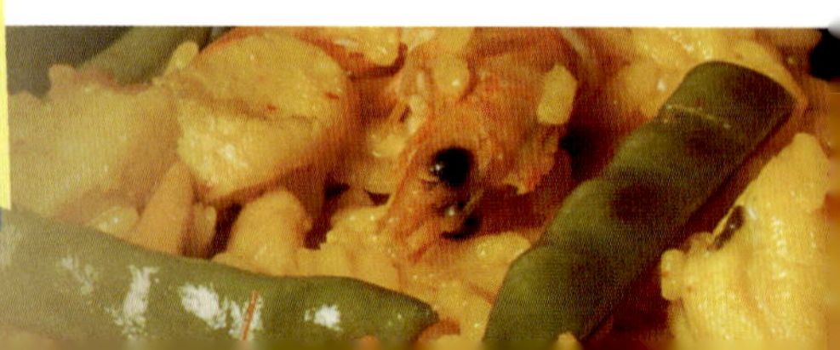

Risotto mit Auberginen

Die Zubereitung

1.
In einem Topf mit Olivenöl brate ich 5 Minuten den Knoblauch und die Auberginen.

2.
Als nächstes gebe ich den Reis dazu, nach 3 Minuten gebe ich auch die Tomatenwürfel bei und koche es 5 Minuten.

3.
Mein nächster Schritt ist die heiße Brühe nach und nach einzugießen und dabei rühren (etwa 12 Minuten) bis der Reis fertig ist.

4.
Zum Schluss gebe ich die Butter und die Petersilie zum Risotto und lasse es 2 Minuten.

5.
Das Risotto serviere ich heiß mit dem geriebenen Parmesan.

Die Zutaten

1 Kilo Reis Arborio oder Runden Reis
100 ml Olivenöl
150 g Butter
30 g Knoblauch, kleingehackt
300 g Auberginen, in kleinen Stücken geschnitten
200 g frische Tomaten, in Würfel geschnitten
2 ½ l Hähnchenbrühe
20 g Petersilie, kleingehackt
150 g Parmesan, gerieben

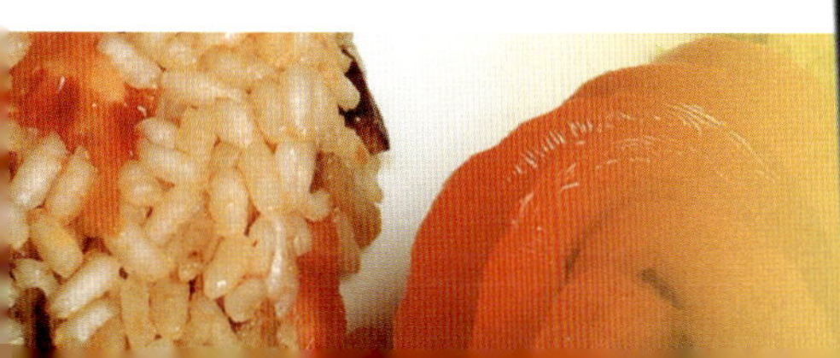

Risotto mit Fisch

Die Zubereitung

1.
In einem Topf mit Olivenöl brate ich 5 Minuten bei geringer Hitze die Zwiebeln an.

2.
Als nächstes gebe ich den Reis dazu für etwa 3 Minuten, danach gebe ich auch den Fisch bei und darauf hin lösche ich mit dem Wein.

3.
Mein nächster Schritt ist die heiße Brühe nach und nach einzugießen und dabei rühren (etwa 17 Minuten) bis der Reis fertig ist.

4.
Zum Schluss gebe ich die Butter und die Petersilie zum Risotto und lasse es 2 Minuten.

5.
Das Risotto serviere ich heiß mit dem geriebenen Parmesan.

Die Zutaten

1 Kilo Reis Arborio oder Runden Reis
100 ml Olivenöl
150 g Butter
200 g Zwiebeln, kleingehackt
400 g Fischfilets, kleingeschnitten
200 ml Weißwein
2 ½ l Gemüsebrühe
30 g Petersilie, kleingehackt
150 g Parmesan, gerieben

Risotto mit Artischocken

Die Zubereitung

1.
In einem Topf mit Olivenöl brate ich 3 Minuten bei geringer Hitze die Zwiebeln an, danach gebe ich die Artischocken bei und brate noch 2 Minuten.

2.
Als nächstes gebe ich den Reis dazu für etwa 3 Minuten und lösche alles mit dem Wein.

3.
Mein nächster Schritt ist die heiße Brühe nach und nach einzugießen und dabei rühren (etwa 17 Minuten) bis der Reis fertig ist.

4.
Zum Schluss gebe ich die Butter und die Petersilie zum Risotto und lasse es 2 Minuten.

5.
Das Risotto serviere ich heiß mit dem geriebenen Parmesan.

Die Zutaten

1 Kilo Reis Arborio oder Runden Reis
100 ml Olivenöl
150 g Butter
200 g Zwiebeln, kleingehackt
300 g Artischocken, in Scheiben geschnitten
200 ml Weißwein
2 ½ l Gemüsebrühe
30 g Petersilie, kleingehackt
150 g Parmesan, gerieben

Risotto mit Erdbeeren

Die Zubereitung

1.
In einem Topf mit Olivenöl brate ich 2 Minuten die Zwiebeln an.

2.
Danach gebe ich den Reis dazu und brate 3 Minuten, anschließend kommen die pürierten Erdbeeren bei und lösche mit dem Weinbrand und dem Orangensaft.

3.
Mein nächster Schritt ist die heiße Brühe nach und nach einzugießen und dabei rühren (etwa 17 Minuten) damit der Reis nicht ansetzt.

4.
Zum Schluss gebe ich die Butter und die Sahne zum Risotto und lasse es 2 Minuten.

5.
Das Risotto serviere ich heiß mit den gehackten Walnüssen.

Die Zutaten

1 Kilo Reis Arborio oder Runden Reis
100 ml Olivenöl
100 g Butter
100 g Zwiebeln, kleingehackt
1 Kilo Erdbeeren (500 g durch zwei geteilt, 500 g püriert)
100 ml Weinbrand
500 ml frisch gepressten Orangensaft
2 ½ l Gemüsebrühe
150 ml Sahne
150 g Walnüsse gehackt

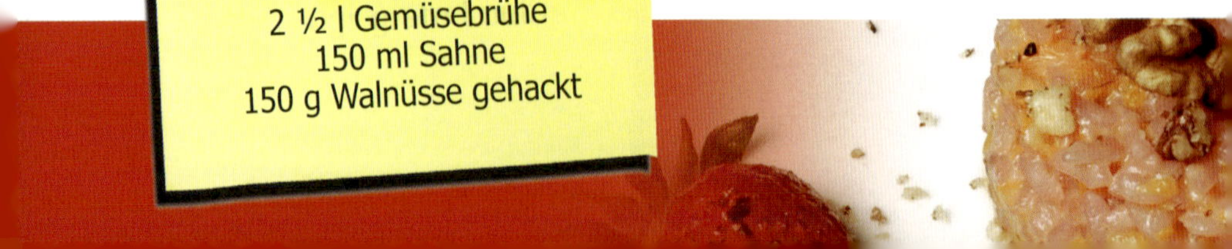

Risotto mit Champagner

Die Zubereitung

1.
In einem Topf mit Olivenöl brate ich 2 Minuten die Zwiebeln an.

2.
Anschließend gebe ich den Reis dazu und brate ihn 3 Minuten an.

3.
Ich lösche mit Champagner und danach gieße ich die heiße Brühe nach und nach (17 Minuten) indem ich rühre bis der Reis gar ist.

4.
Zum Schluss gebe ich die Butter zum Risotto und lasse es weitere 2 Minuten.

5.
Das Risotto serviere ich heiß, garniere mit den Rosenblätter und dem Parmesan.

Die Zutaten

1 Kilo Reis Arborio oder Runden Reis
100 ml Olivenöl
150 g Butter
200 g Zwiebeln, kleingehackt
300 ml Champagner
2 ½ l Gemüsebrühe
Rosenblätter zur Dekoration
150 g Parmesan in Würfel geschnitten

Risotto mit Fenchel

Die Zubereitung

1.
In einem Topf mit Olivenöl brate ich 2 Minuten die Zwiebeln an.

2.
Ich lösche mit Ouzo und gebe die Fenchel dazu anschließend gieße ich die Gemüsebrühe ein und koche sie auf. Anschließend gebe ich den Reis dazu und brate ihn 3 Minuten an.

3.
Als nächstes gebe ich den Reis in die Brühe und koche es bei mittlerer Hitze 17 Minuten. Dabei rühre ich damit der Reis nicht ansetzt.

4.
Zum Schluss gebe ich die Butter zum Risotto und lasse es weitere 2 Minuten.

5.
Das Risotto serviere ich heiß, garniere mit Dill und reibe den Parmesan darüber.

Die Zutaten

1 Kilo Reis Arborio oder Runden Reis
100 ml Olivenöl
150 g Butter
200 g Fenchel, in Streifen geschnitten
150 ml Ouzo
2 ½ l Gemüsebrühe
Dill
150 g Parmesan, gerieben

Reis mit Milch und Mandeln

Die Zubereitung

1.
In einem Topf erwärme ich die Milch mit etwas Salz und gebe den Reis dazu.

2.
Bei schwacher Hitze lasse ich den Reis mit der Milch 45 Minuten kochen.

3.
Als nächstes nehme ich den Topf vom Herd und lasse ihn zugedeckt bis die Milch eingezogen ist.

4.
Nun hebe ich die Butter und die Sahne unter.

5.
In kleinen Schalen serviere ich den Reis, warm oder kalt und bestreue mit den Mandeln.

Die Zutaten

1 Kilo Reis
1 l Milch
125 ml Sahne
50 g Butter, geschmolzen
Kirschlikör oder Brombeerlikör
75 g Mandeln, gerieben
Salz

Spaghetti al olio

Die Zubereitung

1.
In einer Pfanne mit Olivenöl brate ich den Knoblauch 3 Minuten bei schwacher Hitze.

2.
Der nächste Schritt ist die Spaghetti dazu zugeben und weitere 3 Minuten zu braten.

3.
Ich salze und rühre.

4.
Die Spaghetti serviere ich mit dem Parmesan darüber.

Die Zutaten

1 Kilo Spaghetti
250 ml Olivenöl
125 g Knoblauch, kleingeschnitten
150 g Parmesan, gerieben
Salz

Spaghetti alio olio noci

Die Zubereitung

1.
In einer Pfanne mit Olivenöl brate ich den Knoblauch 3 Minuten bei schwacher Hitze.

2.
Der nächste Schritt ist die Spaghetti dazu zugeben und weitere 3 Minuten zu braten.

3.
Ich salze und rühre.

4.
Die Spaghetti serviere ich mit den gehackten Walnüssen darüber.

Die Zutaten

1 Kilo Spaghetti
250 ml Olivenöl
120 g Knoblauch, kleingehackt
150 g Walnüsse, gehackt
Salz

Spaghetti alio olio piperocini

Die Zubereitung

1.
In einer Pfanne mit Olivenöl brate ich den Knoblauch und die Chili 3 Minuten bei schwacher Hitze.

2.
Mein nächster Schritt ist die Spaghetti dazu zugeben und weitere 3 Minuten leicht anzubraten.

3.
Ich salze und rühre.

4.
Die Spaghetti serviere ich mit dem Parmesan darüber.

Die Zutaten

1 Kilo Spaghetti
250 ml Olivenöl
120 g Knoblauch, kleingehackt
100 g Chili, kleingeschnitten
150 g Parmesan gerieben
Salz

Spaghetti alio olio persemolo

Die Zubereitung

1.
In einer Pfanne mit Olivenöl brate ich den Knoblauch und die Chili 3 Minuten bei schwacher Hitze.

2.
Mein nächster Schritt ist die Spaghetti dazu zugeben und weitere 3 Minuten leicht anzubraten.

3.
Nun gebe ich das Salz und die Petersilie bei und rühre.

4.
Die Spaghetti serviere ich mit dem Parmesan darüber.

Die Zutaten

1 Kilo Spaghetti
250 ml Olivenöl
120 g Knoblauch, kleingehackt
100 g Petersilie, kleingeschnitten
150 g Parmesan gerieben
Salz

Spaghetti mit Tomate und Basilikum

Die Zubereitung

1.
In einer Pfanne mit Olivenöl brate ich den Knoblauch 3 Minuten bei schwacher Hitze.

2.
Danach gebe ich die frischen Tomaten bei und koche 5 Minuten.

3.
Als nächstes kommen die Tomaten concassé bei und koche weitere 15 Minuten.

4.
Die Spaghetti sind nun an der Reihe und abschließend der Basilikum, den ich kurz vorher schneide.

5.
Ich serviere auf ein mit Basilikum garnierten Pastateller und reibe Parmesan darüber.

Die Zutaten

1 Kilo Spaghetti
150 ml Olivenöl
20 g Knoblauch, kleingehackt
400 g Tomaten, in Würfel concassé
200 g frische Tomaten, püriert
30 g Basilikum, im letzten Moment geschnitten
150 g Parmesan, in Scheiben gerieben

Spaghetti mit Mortadella und Zucchini

Die Zubereitung

1.
Zu Anfang brate ich in einer Pfanne mit Olivenöl die Zwiebeln 3 Minuten an.

2.
Danach gebe ich die Zucchini bei und brate 15 Minuten weiter.

3.
Als nächstes kommt die Mortadella dazu, das Salz und lasse es 15 Minuten.

4.
Ich beende die Pasta indem ich die Spaghetti mit der Soße mische.

5.
Ich serviere und garniere mit Parmesan.

Die Zutaten

1 Kilo Spaghetti
150 ml Olivenöl
50 g Butter
50 g Zwiebeln, kleingeschnitten
300 g Mortadella, püriert
300 g Zucchini, gerieben
100 ml Weißwein
150 g Parmesan, in Scheiben gerieben

Spaghetti mit Auberginen

Die Zubereitung

1.
Ich brate in einer Pfanne mit Olivenöl den Knoblauch 2 Minuten an.

2.
Danach gebe ich die Tomaten und das Salz bei und koche 15 Minuten.

3.
Nun kommen die Spaghetti und die Auberginen in die Pfanne somit beende ich mein Gericht.

4.
Abschließend serviere ich die Pasta und reibe den Parmesan darüber.

Die Zutaten

1 Kilo Spaghetti
150 ml Olivenöl
30 g Knoblauch, kleingehackt
500 g frische Tomaten in Würfel geschnitten
500 g Auberginen, in Würfel geschnitten, in Mehl gewälzt und in Olivenöl gebraten
etwas Salz
etwas Pfeffer
150 g Parmesan, in Scheiben gerieben

Spaghetti paliermitana

Die Zubereitung

1.
In einer Pfanne mit Olivenöl brate ich den Knoblauch, den Lauch und die Peperoni 5 Minuten an.

2.
Danach gebe ich die Sardellen bei und brate alles 5 Minuten.

3.
Nun lösche ich mit dem Wein und lasse es weitere 2 Minuten schmoren.

4.
Als nächstes vereine ich die Spaghetti mit der Soße.

5.
Abschließend serviere ich die Pasta garniere mit dem gerösteten Zwieback und der Tomatenwürfel.

Die Zutaten

1 Kilo Spaghetti
150 ml Olivenöl
20 g Knoblauch, kleingehackt
150 g Lauch, kleingeschnitten
30 g Peperoni pikant
300 g Sardellen, kleingeschnitten
100 ml Weißwein
50 g Fenchelspitze oder Dill
150 g Zwieback, geröstet mit Olivenöl zum garnieren
150 g frische Tomaten in Würfel geschnitten zum garnieren

Spaghetti sizilién

Die Zubereitung

1.
In einem Topf mit Olivenöl brate ich die Zwiebeln, den Schinken, die Champignon und die Erbsen 5 Minuten an.

2.
Als nächstes füge ich das Hackfleisch bei, welches ich 3 Minuten anbrate und danach die Spaghetti beigebe.

3.
In einem Tontopf lege ich die Hälfte der Auberginen, die ich gesalzen und gepfeffert habe und da rüber gebe ich die Pasta mit der Soße und bedecke sie mit den restlichen Auberginen.

4.
Nun bedecke ich alles mit der Mornei Soße und reibe etwas Parmesan darüber. Das Ganze backe ich 45 Minuten bei 180 C.

5.
Anschließend serviere ich und garniere.

Die Zutaten

1 Kilo Spaghetti
100 ml Olivenöl
50 g Zwiebeln, kleingehackt
50 g Schinken oder Rinderzunge
100 g Rindergehacktes, angebraten
50 g Erbsen
50 g Champignon, geschnitten
500 g Auberginen, in Scheiben geschnitten und gebraten
1500 g Mornei Soße
(80 g Butter, 120 g Mehl, 1300 g Milch, Salz, weißen Pfeffer, Muskatnuss, 70 g geriebenen Parmesan und 2 Eigelb)

Fusilli mit Sardellen

Die Zubereitung

1.
In einem Topf mit Olivenöl dünste ich 3 Minuten den Knoblauch und den Lauch an.

2.
Als nächstes füge ich die Sardellen bei und lösche mit Wein und lasse es 5 Minuten schmoren.

3.
Im Anschluss würze ich mit Salz, gebe die Tomaten bei und lasse es 15 Minuten köcheln.

4.
Nun hebe ich die Nudeln darunter.

5.
Ich serviere die Pasta und verfeinere mit dem Parmesan.

Die Zutaten

1 Kilo Fusilli tricolore oder andere gedrehte Nudeln
100 ml Olivenöl
30 g Knoblauch, kleingehackt
150 g Lauch, kleingeschnitten
400 g Sardellen, kleingeschnitten
100 ml Weißwein
40 g frische Tomaten, in Würfel geschnitten
Salz
150 g Parmesan in Streifen gerieben

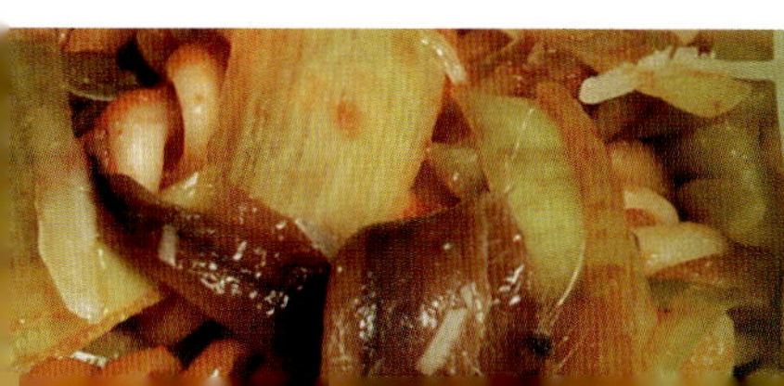

Fusilli mit Artischoken

Die Zubereitung

1.
In einer Pfanne mit Olivenöl dünste ich 3 Minuten den Knoblauch an.

2.
Danach gebe ich die Artischocken bei und lasse es 5 Minuten schmoren.

3.
Im Anschluss kommen die Oliven, der Wein und das Salz bei und koche es weitere 10 Minuten.

4.
Ich hebe die Nudeln darunter und würze mit der Petersilie.

5.
Ich serviere die Pasta und verfeinere mit dem Parmesan.

Die Zutaten

1 Kilo Fusilli tricolore oder andere gedrehte Nudeln
150 ml Olivenöl
20 g Knoblauch
500 g Artischocken, in Scheiben geschnitten
50 g Oliven, in Scheiben geschnitten
100 ml Weißwein
Salz
150 g Parmesan, gerieben

Fusilli mit Auberginen und Schinken

Die Zubereitung

1.
In einer Pfanne lasse ich die Butter aus und dünste 3 Minuten die Zwiebeln an.

2.
Danach gebe ich den Schinken bei und lasse es 5 Minuten braten.

3.
Als nächstes kommen die Auberginen und die Sahne bei und koche es weitere 10 Minuten.

4.
Ich gebe die Nudeln mit in die Pfanne.

5.
Ich serviere und verfeinere mit dem Parmesan.

Die Zutaten

1 Kilo Fusilli tricolore oder andere gedrehte Nudeln
100 g Butter
150 g Zwiebeln, kleingeschnitten
200 g Schinken, kleingeschnitten
600 g Auberginen, gebraten und kleingeschnitten
100 ml Sahne
Salz
150 g Parmesan, gerieben

Fusilli alla Nambouko

Die Zubereitung

1.
In einer Topf mit Olivenöl brate ich 5 Minuten die Zwiebeln, Knoblauch und Champignon an.

2.
Danach gebe ich den Bacon und Paprika bei und lasse es 5 Minuten braten.

3.
Als nächstes lösche ich mit dem Ouzo ab, gebe die Tomaten bei schmore es weitere 10 Minuten.

4.
In einer Pfanne gebe ich die Sahne in die Soße und hebe die Nudeln darunter, während ich noch 3 Minuten alles auf der Herdplatte lasse.

5.
Ich serviere, dekoriere mit der Petersilie und verfeinere mit dem Parmesan.

Die Zutaten

1 Kilo Fusilli oder andere gedrehte Nudeln
100 ml Olivenöl
100 g Zwiebeln, kleingeschnitten
20 g Knoblauch, kleingehackt
100 g Champignon, geschnitten
100 g Bacon, geschnitten
20 g Paprika
100 ml Ouzo
300 g frische Tomaten gerieben
100 ml Sahne
50 g Petersilie
150 g Parmesan, gerieben

Fusilli mit Auberginen

Die Zubereitung

1.
In einer Topf mit Olivenöl dünste ich 3 Minuten den Knoblauch an.

2.
Danach gebe ich die Tomaten bei und lasse es 15 Minuten kochen.

3.
Abschließend hebe ich die Nudeln unter.

4.
Ich serviere, garniere mit den gebratenen Auberginenwürfel und verfeinere mit Parmesan.

Die Zutaten

1 Kilo Fusilli oder andere gedrehte Nudeln
150 ml Olivenöl
30 g Knoblauch, kleingehackt
500 g frische Tomaten gerieben
Salz
200 g Auberginen
(in Würfel geschnitten, gebraten zur Dekoration)
150 g Parmesan, gerieben

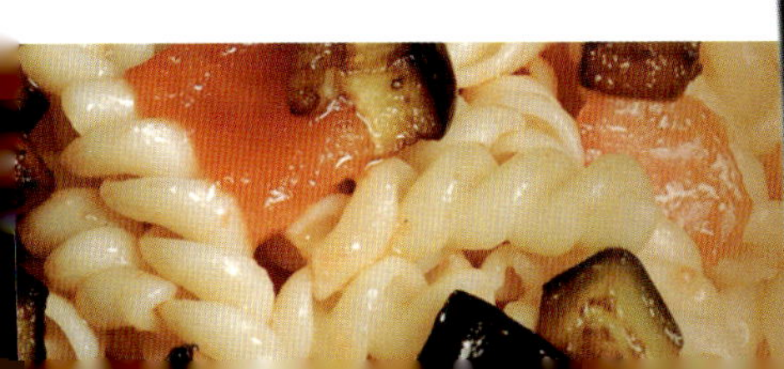

Tagliatellen portugéz

Die Zubereitung

1.
In einer Pfanne mit Olivenöl dünste ich 3 Minuten den Knoblauch und die Zwiebeln an.

2.
Danach gebe ich die Karotten bei lösche mit dem Weißwein ab und lasse es 5 Minuten kochen.

3.
Nun gebe ich auch die Tomaten bei und koche weitere 15 Minuten.

4.
Zum Schluss hebe ich die Nudeln unter und verfeinere mit der Petersilie.

5.
Ich serviere mit dem geriebenen Parmesan über die Pasta.

Die Zutaten

1 Kilo Tagliatellen
150 ml Olivenöl
100 g Zwiebeln, kleingehackt
20 g Knoblauch, kleingehackt
100 g Karotten, kleingeschnitten
100 ml Weisswein
500 g Tomaten concassé
50 g Petersilie
Salz
150 g Parmesan, gerieben

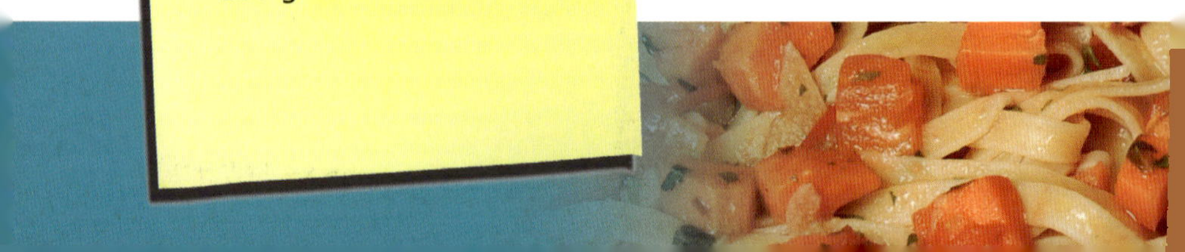

Tagliatellen del mondo

Die Zubereitung

1.
Zu Anfang nehme ich eine Pfanne mit Olivenöl brate 5 Minuten die Paprika, den Schinken und den Bacon an.

2.
Danach gebe ich das Rinderfilet bei und brate es 5 Minuten.

3.
Als nächstes lösche ich mit dem Wein ab und gebe auch die Tomaten bei und koche weitere 10 Minuten.

4.
Zum Schluss gebe ich die Tagliatellen zu der Soße.

5.
Ich serviere mit dem geriebenen Parmesan.

Die Zutaten

1 Kilo Tagliatellen
150 ml Olivenöl
50 g grüne Paprika, in Ringe geschnitten
70 g Schinken, in schmale Scheiben geschnitten
70 g Bacon, in schmale Scheiben geschnitten
150 g Rinderfilet. In schmale Scheiben geschnitten
100 ml Weißwein
500 g frische Tomaten gerieben
50 g Petersilie
Salz
150 g Parmesan, gerieben

Tagliatellen mit Lachs

Die Zubereitung

1.
Zu Anfang nehme ich eine Pfanne mit Butter und dünste 2 Minuten die Zwiebeln an.

2.
Anschließend gebe ich den Lachsfilet in die Pfanne und brate es 5 Minuten an.

3.
Als nächstes lösche ich mit dem Champagner ab, gebe die Sahne bei und koche 5 Minuten weiter.

4.
Zum Schluss gebe ich die Tagliatellen zu der Soße.

5.
Nun serviere ich das Gericht und garniere mit dem in Scheiben geschnittenen Parmesan.

Die Zutaten

1 Kilo Tagliatellen
120 g Butter
100 g Zwiebeln, kleingeschnitten
400 g Lachsfilet, in Vierecke geschnitten
100 ml Champagner
500 ml Sahne
40 g Dill
Salz
150 g Parmesan, gerieben in dünne Scheiben

Tagliatellen katsatore

Die Zubereitung

1.
Ich nehme eine Pfanne mit Olivenöl und dünste 2 Minuten die Zwiebeln darin.

2.
Anschließend gebe ich den die Champignon, den Schinken und den Bacon bei und brate es 5 Minuten an.

3.
Als nächstes lösche ich mit dem Weißwein ab, gebe die Tomaten bei und koche 10 Minuten weiter.

4.
Zum Schluss gebe ich die Tagliatellen zu der Soße.

5.
Nun serviere ich das Gericht und garniere mit dem Parmesan.

Die Zutaten

1 Kilo Tagliatellen
150 g Olivenöl
70 g Zwiebeln, kleingeschnitten
50 g Champignon, in Scheiben geschnitten
70 g Schinken, in schmale Streifen geschnitten
70 g Bacon, in schmale Streifen geschnitten
100 ml Weißwein
300 g frische Tomaten, in Würfel geschnitten
Salz
150 g Parmesan, gerieben

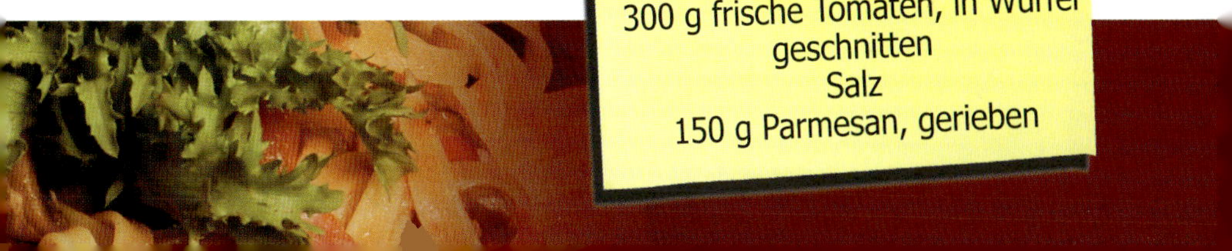

Tagliatellen pizzaiola

Die Zubereitung

1.
In einer Pfanne mit Olivenöl dünste ich 1 Minuten den Knoblauch.

2.
Danach gebe ich das Schweinefilet bei und brate es 5 Minuten an.

3.
Als nächstes lösche ich mit dem Weißwein ab, gebe die Tomaten bei und koche 10 Minuten.

4.
Zum Schluss gebe ich die Tagliatellen zu der Soße.

5.
Nun serviere ich die Pasta und garniere mit dem Parmesan.

Die Zutaten

1 Kilo Tagliatellen, grüne und weiße
150 g Olivenöl
50 g Knoblauch, kleingehackt
300 g Schweinefilet, in Streifen geschnitten
100 ml Weißwein
300 g frische Tomaten, gerieben
Salz und Pfeffer
150 g Parmesan, gerieben

Tortellini Veneziana

Die Zubereitung

1.
In einer Pfanne mit Olivenöl dünste ich 2 Minuten die Zwiebeln.

2.
Danach gebe ich die Champignon, den Schinken bei und brate es 3 Minuten an.

3.
Als nächstes lösche ich mit dem Weißwein ab, gebe die Sahne bei und koche 5 Minuten.

4.
Zum Schluss gebe ich zur Soße die Tortellini und ein Teil des Parmesan.

5.
Nun serviere ich die Tortellini und garniere den Teller mit dem Parmesan.

Die Zutaten

1 Kilo Tortellini
150 g Olivenöl
70 g Champignon, in Scheiben geschnitten
70 g Schinken, in schmale Scheiben geschnitten
100 ml Weißwein
400 ml Sahne
Salz
150 g Parmesan, gerieben

Tortellini mit Champignon

Die Zubereitung

1.
In einer Pfanne lasse ich die Butter aus und dünste 2 Minuten die Zwiebeln an.

2.
Danach gebe ich die Champignon sowie die Pinienkerne bei und brate es 3 Minuten an.

3.
Als nächstes lösche ich mit dem Cognac ab, gebe die Sahne bei und koche 5 Minuten.

4.
Nun mische ich die Tortellini unter und gebe die Petersilie bei.

5.
Ich serviere und streue den geriebenen Feta darüber.

Die Zutaten

1 Kilo Tortellini
120 g Butter
100 g Zwiebeln, kleingeschnitten
400 g Champignon, geschnitten
70 g Pinienkerne
50 ml Cognac
500 ml Sahne
Salz
50 g Petersilie
150 g Feta, gerieben

Farfalle mit Oliven

Die Zubereitung

1.
In einer Pfanne mit Olivenöl dünste ich 2 Minuten die Zwiebeln an.

2.
Danach gebe ich die Oliven bei und brate es weitere 3 Minuten an.

3.
Als nächstes lösche ich mit dem Rosé ab, gebe die Tomaten bei und koche es 10 Minuten.

4.
Nun mische ich die Farfalle unter und gebe die Petersilie bei.

5.
Ich serviere und reibe den Parmesan darüber.

Die Zutaten

1 Kilo Farfalle
150 ml Olivenöl
100 g Zwiebeln, kleingeschnitten
200 g grüne Oliven, in Scheiben geschnitten
100 ml Roséwein
400 g frische Tomaten in Würfel geschnitten
50 g Petersilie
150 g Parmesan, gerieben

Farfalle mit Hähnchen

Die Zubereitung

1.
In einem Topf mit Olivenöl dünste ich 3 Minuten die Zwiebeln, die Paprika und die Champignon an.

2.
Danach gebe ich das Hähnchen bei und brate es weitere 5 Minuten an.

3.
Als nächstes lösche ich mit dem Wein ab, gebe die Sahne bei und koche es 5 Minuten.

4.
Nun mische ich die Farfalle unter und gebe die Petersilie bei.

5.
Ich serviere und reibe die Mozzarella darüber.

Die Zutaten

1 Kilo Farfalle
150 ml Olivenöl
100 g Zwiebeln, kleingeschnitten
50 g Knoblauch, kleingehackt
80 g grüne Paprika, in kleine Streifen geschnitten
80 g Champignon, in Scheiben
300 g Hähnchenfilet, in Würfel
100 ml Weißwein
500 g Sahne
50 g Petersilie
Salz
150 g Mozzarella, gerieben

Farfalle mit roter Paprika

Die Zubereitung

1.
In einer Pfanne mit Olivenöl brate ich 3 Minuten den Knoblauch und die Champignon an.

2.
Als nächstes lösche ich mit dem Bier ab und lasse es eine weitere Minute.

3.
Danach gebe ich die pürierte Paprika bei und koche es 3 Minuten.

4.
Nun mische ich die Farfalle unter.

5.
Ich serviere und garniere mit Feta und Petersilie.

Die Zutaten

1 Kilo Farfalle
150 ml Olivenöl
40 g Knoblauch, kleingehackt
200 g Champignon, in Scheiben
150 ml Bier
400 g rote Paprika, gebacken und püriert
50 g Petersilie
Salz
150 g Feta, gerieben

Farfalle mit Broccoli

Die Zubereitung

1.
In einer Pfanne mit Olivenöl brate ich 1 Minuten den Knoblauch an.

2.
Als nächstes gebe ich die Sardellen, die Peperoni bei und lasse es 5 Minute braten.

3.
Danach lösche ich mit dem Wein ab, gebe ich die Tomaten bei und koche es 10 Minuten.

4.
Nun mische ich die Farfalle unter.

5.
Ich serviere und garniere mit dem Broccoli und der Mozzarella.

Die Zutaten

1 Kilo Farfalle
150 ml Olivenöl
30 g Knoblauch, kleingehackt
150 g Sardellen, geschnitten
30 g Peperoni pikant, kleingeschnitten
100 ml Weißwein
500 g frische Tomaten, gerieben
150 g Broccoliröschen
150 g Mozzarella, gerieben

Farfalle mit Linsen

Die Zubereitung

1.
In einer Pfanne mit Olivenöl dünste ich 2 Minuten den Knoblauch und die Zwiebeln an.

2.
Als nächstes gebe ich die Linsen bei und lasse es 3 Minute.

3.
Danach gebe ich die Tomatenwürfel, die Gemüsebrühe bei und koche es 10 Minuten.

4.
Nun mische ich die Farfalle unter.

5.
Ich serviere und garniere mit dem Feta und der Petersilie.

Die Zutaten

1 Kilo Farfalle
150 ml Olivenöl
100 g Zwiebeln, kleingehackt
30 g Knoblauch, kleingehackt
100 g Linsen, gekocht
500 g frische Tomaten, in Würfel geschnitten
100 ml Gemüsebrühe
Petersilie
150 g Feta in Würfel

Farfalle mit dicken Bohnen

Die Zubereitung

1.
In einer Pfanne mit Olivenöl dünste ich 2 Minuten die Zwiebeln an.

2.
Als nächstes gebe ich die Bohnen, die Tomaten bei und lasse es 5 Minute.

3.
Danach gebe ich die Gemüsebrühe bei und koche es 5 Minuten.

4.
Abschließend hebe ich die Farfalle unter.

5.
Ich serviere und garniere mit der Graviera.

Die Zutaten

1 Kilo Farfalle
150 ml Olivenöl
100 g Zwiebeln, kleingehackt
250 g dicken Bohnen, gekocht
400 g frische Tomaten, in Würfel geschnitten
200 ml Gemüsebrühe
150 g Graviera in Scheiben

Chilópites mit Sauermilch

Die Zubereitung

1.
In einer Pfanne lasse ich die Butter aus und dünste 2 Minuten die Nudeln.

2.
Als nächstes gebe ich die Sauermilch bei und lasse es 3 Minuten.

3.
Ich würze mit Oregano und Salz.

4.
Ich serviere und garniere mit dem kretischen Käse.

Die Zutaten

1 Kilo Chilópites (griechische Nudeln), gekocht in Milch
100 g Butter
500 ml Sauermilch
Salz
30 g Oregano
150 g Mizithra (kretischer Weichkäse), in Dreiecken geschnitten und gegrillt